La Tapisserie de Bayeux

La Tapisserie de Bayeux

UNE DÉCOUVERTE PAS À PAS
A STEP-BY-STEP DISCOVERY

Sylvette LEMAGNEN

OREP EDITIONS

INTRODUCTION

La Tapisserie de Bayeux est une œuvre unique au monde. Ne serait-ce qu'à ce titre, elle est fascinante. Elle a traversé près de neuf siècles et demi pour parvenir presque intacte jusqu'à nous tandis qu'ont disparu les autres tentures médiévales qui ornaient des églises ou des palais et racontaient des batailles.

Son nom la rattache à la ville normande de Bayeux où elle est conservée depuis le Moyen Âge. Elle est encore assez fréquemment désignée sous le nom de « Tapisserie de la reine Mathilde » alors qu'il est plus que douteux que l'épouse de Guillaume le Conquérant en soit la créatrice. À l'époque de sa redécouverte dans les années 1720, elle est appelée localement « La Toilette du Duc Guillaume » (par « toilette », il faut comprendre « petite toile »). Elle est alors considérée comme « une vieille bande de tapisserie qui se voit à la cathédrale de Bayeux[1] ». Le nom inadéquat de « tapisserie » donné à l'œuvre vient de là. L'ouvrage, en effet, n'a pas été exécuté sur un métier de lice dans lequel le décor se constitue en même temps que l'étoffe, mais il se compose d'une simple toile de lin ornée de dessins réalisés en relief à l'aiguille, avec des fils de laine. Le terme « tapisserie de Bayeux » ayant été traduit en toutes langues et usité tel quel depuis près de trois siècles, il sera à présent difficile d'imposer le vocable « Broderie de Bayeux » qui conviendrait tellement mieux !

Aucun texte d'archives ne nous informe sur le nom du commanditaire de la Tapisserie de Bayeux, ni sur l'endroit où elle a été fabriquée et, par voie de conséquence, sur les personnes qui l'ont créée. Nous sommes donc voués aux hypothèses. Celle retenue par le plus grand nombre d'historiens de toutes nationalités veut qu'Odon, demi-frère de Guillaume le Conquérant et évêque de Bayeux, ait fait exécuter la Tapisserie pour orner la cathédrale de Bayeux qu'il était en train de reconstruire. Il glorifiait ainsi la conquête de l'Angleterre à laquelle il avait participé aux côtés de Guillaume, et la légitimait en la montrant dans un édifice religieux. Si on retient cette supposition, il est vraisemblable qu'il ait confié la confection de la tenture à des brodeurs du Kent, dont il reçut le comté des mains de Guillaume après

1. Citation de Dom Maurice L'Archer, prieur de Saint-Vigor.

la conquête. Leurs ateliers étaient célèbres. Le scriptorium de l'abbaye Saint-Augustin de Cantorbéry, d'où sortirent tant de magnifiques manuscrits, l'était tout autant. Or, n'est-il pas troublant de pouvoir rapprocher des enluminures peintes à Cantorbéry de scènes figurant sur la Tapisserie ?

Un tel amalgame ne remporte pas l'adhésion de tous. D'autres propositions ont vu le jour ces dernières années. L'Angleterre est regardée majoritairement comme le lieu de naissance de la Tapisserie, même si la localisation de l'atelier varie de la région londonienne, avec les abbayes de Barking et de Waltham (toutes deux en Essex), au sud du pays, avec la cité de Winchester, l'abbaye de Wherwell (toutes deux dans le Hampshire), et l'abbaye de Wilton (dans le Wiltshire), sans parler d'autres lieux moins crédibles à retenir. Parmi les commanditaires proposés, la reine Edith, épouse d'Edouard le Confesseur, fait figure de favorite après Odon, mais il convient de citer aussi l'abbé de Saint-Augustin de Cantorbéry, Scolland, et le comte Eustache de Boulogne. Plutôt que d'ajouter foi à une création anglaise, deux historiens contemporains (un Allemand et un Anglo-Américain) ont renoué avec les croyances de certains de leurs prédécesseurs français du XIXe siècle pour lesquels la Tapisserie ne pouvait avoir vu le jour qu'en France. La thèse d'un atelier situé à Bayeux ou encore à l'abbaye de Saint-Florent de Saumur (en Val de Loire) n'est pas convaincante. La Tapisserie contient trop d'images et de graphies d'origine anglo-saxonne pour qu'on puisse croire qu'elle provienne du continent.

Une autre énigme demeure, celle de sa datation. En raison de son contenu iconographique, le monde scientifique s'accorde actuellement sur le fait qu'elle a été fabriquée à la fin du XIe siècle, entre 1066, date de la bataille de Hastings et 1097, mort d'Odon. La fourchette se resserre souvent autour 1082 pour les tenants d'Odon comme commanditaire de l'œuvre, car c'est la date de sa disgrâce par Guillaume. Certains affirment que la Tapisserie a été faite dans les deux années qui ont suivi la bataille de Hastings, avant que Guillaume n'ait à affronter les rébellions anglo-saxonnes. Cette hypothèse ne prend nullement en compte les considérations matérielles de réalisation d'un tel ouvrage. La toile a dû être filée en fonction des besoins ; les laines des broderies aussi ; elles ont dû ensuite être teintes. Leur unicité laisse à penser que les matières premières n'ont pu être confiées à une multiplicité d'ateliers comme cela a été parfois évoqué. Il y aurait eu, me semble-t-il, plus de disparités dans le rendu du travail. D'autre part, on doit se poser la question du nombre d'heures nécessaires pour écrire le scénario et le transcrire en dessins. Si on s'appuie sur les témoignages de dessinateurs, de peintres et de brodeuses professionnelles d'aujourd'hui qui témoignent avoir recopié la Tapisserie en seulement une, voire deux années, on ne doit pas négliger le fait que copier n'est pas créer. Le temps passé à rendre compte au commanditaire de l'évolution du travail, le temps mis à créer et à ordonnancer les scènes sur trois niveaux (une bande centrale entourée de deux bordures), à orchestrer une équipe de dessinateurs et une équipe de brodeurs ou de brodeuses, à reporter les cartons des scènes sur la toile n'a pu se faire dans des délais aussi contraints. La Tapisserie est une œuvre réfléchie où tout

détail a son importance. Aussi génial ait été le maître d'œuvre, aussi brillants aient été les artistes et artisans qui l'accompagnaient, il leur fallut sans doute tâtonner pour arriver au résultat que l'on connaît. L'étude attentive de la toile ne montre-t-elle pas des repentirs ? Quoi de plus émouvant que de déceler la trace de l'aiguille du brodeur qui a défait un point qui ne lui convenait pas ? Pour toutes ces raisons, il m'apparaîtrait plus raisonnable de privilégier une datation autour des années 1070-1075.

Tout ce que l'on sait avec certitude, c'est que la Tapisserie était présente dans la cathédrale de Bayeux en 1476. Un inventaire des richesses de la cathédrale, aujourd'hui conservé aux Archives départementales du Calvados, la décrit ainsi :
« Une tente tres longue et estroicte de telle a broderie de ymages et escripteaulx faisans representation du conquest dangleterre. laquelle est tendue environ la nef de l'eglise, le jour et par les octaves des reliques. »

Ainsi donc, il s'agit d'une tenture très longue et étroite de toile brodée d'images et d'inscriptions représentant la conquête de l'Angleterre. Elle était tendue dans la nef de la cathédrale, de pilier en pilier, à l'occasion de la fête des reliques qui se déroulait chaque année du 1er au 8 juillet. En dehors de cette période, elle était roulée dans un coffre et conservée dans le Trésor de la cathédrale. Elle a échappé tout au long des siècles à de graves dangers, en tout premier lieu aux incendies qui ont ravagé l'édifice, mais aussi aux pillages de la guerre de Cent Ans ou au sac de la cathédrale par les Huguenots en 1562. À l'époque de la Révolution, elle ne doit son salut qu'à des esprits éclairés. Réclamée à Paris par Bonaparte pour être exposée au musée Napoléon, futur musée du Louvre, elle est renvoyée à Bayeux en 1804. Elle ne retourne pas à la cathédrale. Après un court séjour à l'École secondaire, elle est présentée à l'hôtel de ville aux archéologues et aux touristes qui en font la demande puis elle intègre la nouvelle Bibliothèque municipale ouverte en 1835. Un meuble vitré la protège de toute dégradation dès 1842. Elle ne quittera plus la ville qu'une seule fois au moment de la seconde guerre mondiale alors que l'on craignait que les Nazis ne s'en emparent. La chose manqua de peu d'arriver. Quelques jours après le Débarquement des Alliés en Normandie, ils lui firent quitter sous escorte militaire le château de Sourches (Sarthe), un des dépôts nationaux des musées français où elle avait été mise à l'abri dès 1941, pour le musée du Louvre à Paris. L'objectif était de la transférer en Allemagne. Paris libéré, elle est exposée au Louvre pour la deuxième fois de son histoire. Elle retrouve Bayeux en 1945. Elle est aujourd'hui exposée au Centre Guillaume le Conquérant, qui fut le grand séminaire de Bayeux. Suspendue derrière une vitrine, elle est enfermée dans un coffre-fort à sa taille, muni de systèmes sophistiqués lui garantissant toute sécurité et une excellente conservation.

Sur un fond de toile de lin, fine et de couleur écrue, composée de neuf lés assemblés par des coutures peu apparentes, un récit prend vie sur quelque 68,50 mètres de long et une cinquantaine de centimètres de large. Donner des chiffres plus précis tient de la gageure. Un textile qui s'étire et se rétracte suivant la manière dont on le tend[2]. On précisera que le récit occupe un espace d'environ 33 cm de haut, et est encadré de deux bordures de 7 à 8 cm de large. Le tout est suspendu à une toile d'une texture plus épaisse, datant elle aussi de l'époque médiévale, sur laquelle 58 numéros ont été portés à l'encre noire, vraisemblablement, suivant la graphie, dans le courant du XVIIIᵉ siècle.

Les broderies ont sans doute été exécutées à partir de laines teintes à la toison et non à partir de laines déjà filées. L'absorption des colorants se fait alors plus en profondeur et donne des couleurs plus riches. Celles-ci se déclinent comme suit : deux teintes de rouge (un rosé ou orangé et un brun violacé) ; un jaune moutarde ; un beige ; trois teintes de bleu (un bleu noir, un bleu foncé et un bleu moyen) ; trois teintes de vert (un vert foncé, un vert moyen et un vert pâle). Toutes ont été obtenues à partir de plantes tinctoriales : les rouges à partir de la garance ; le jaune à partir de la gaude ; le beige à partir d'un mélange de gaude et de pastel ; les bleus à partir du pastel.

2. En 1941, un spécialiste allemand des textiles parvint à un total de 68,46 m alors qu'en 1982, des restauratrices françaises se prononcèrent pour un total variant de 68,38 m à 68,58 m.

Les points de broderie utilisés sont au nombre de quatre. Le point de tige et le point de couchage sont les plus usités ; le point de chaînette et le point fendu réalisé à deux fils figurent assez rarement. Le point de tige sert à écrire les légendes qui courent tout au long de l'œuvre et à tracer les visages, les mains, les nudités des personnages. Il souligne aussi tous les contours des motifs créés au point de couchage. Ce dernier point est aussi dénommé point d'Orient et est de nos jours enseigné à Bayeux sous le qualificatif de point de Bayeux. Il est exécuté en trois temps. Des fils lancés couvrent la toile à l'endroit alors que l'envers du tissu reste dégarni. Une seconde série de fils est tendue perpendiculairement et a pour office de plaquer sur la toile la première série de fils. Tous ces flottés sont maintenus par des petits points généralement disposés en quinconce. Le point de chaînette et le point fendu donnent plus de relief à certaines lettres et à des motifs linéaires. Le travail n'a pu être accompli qu'à partir de dessins reportés sur la toile et à l'aide de métiers sur lesquels la toile était tendue.

Jamais un livre ne pourra rendre à son lecteur la fascination du visiteur qui déambule devant la Tapisserie de Bayeux. La présentation actuelle du chef d'œuvre, sous la forme d'un U qui ne permet pas d'en prendre l'envergure d'un seul coup d'œil, renforce l'impression d'une œuvre infinie. Cependant, cet ouvrage fait la part belle aux reproductions photographiques de grande qualité, les couleurs de l'original étant rendues aussi fidèlement que possible. Le commentaire est introduit par la traduction du texte latin qui explicite de façon brève les cinquante-huit scènes. Celles-ci, souvent très longues, ont dû être découpées en plusieurs tableaux que l'on s'est permis de numéroter pour mieux en suivre le déroulé.

Le récit de la Tapisserie, c'est bien sûr celui de la conquête de l'Angleterre en 1066 par Guillaume le Bâtard, 7e duc de Normandie, passé à la postérité sous le nom de Guillaume le Conquérant. C'est aussi un documentaire unique sur la manière de vivre et de combattre en Normandie et en Angleterre au XIe siècle.
Les trois protagonistes de l'action telle qu'elle nous est narrée ont pour nom Edouard, Guillaume et Harold. La Tapisserie s'ouvre sur l'image d'Edouard, qui recevra plus tard le surnom d'Edouard le Confesseur en raison de sa piété. Il est le fils du roi anglo-saxon Æthelred II et d'Emma, la sœur du duc de Normandie Richard II, grand-père de Guillaume. Il a passé une grande partie de sa vie en exil en Normandie, chassé d'Angleterre par les conquérants danois. Il monte sur le trône anglais en 1042 et, pour se concilier les partisans du clan anglo-danois, il épouse Edith, fille du puissant comte anglais Godwin et de la danoise Gytha, cousine du roi du Danemark. Edith est la sœur d'une fratrie belliqueuse et cupide dont, après la mort de leur père, Harold se veut incontestablement le leader. L'union entre Edouard et Edith reste sans héritier. En 1051, alors que la plupart des membres de la famille Godwin sont en exil et que la reine Edith elle-même est reléguée dans un monastère, il est probable qu'Edouard propose à son petit cousin Guillaume de lui succéder. C'est compter sans le retour en grâce des Godwin et l'ambition de Harold Godwinson, l'homme fort du pays, très populaire dans les milieux anti-normands. L'héritage de la couronne anglaise commence en fait dès 1064 par la venue de Harold en Normandie…

The Bayeux Tapestry is a totally unique work. As such, it is also a fascinating one. It has survived almost nine and a half centuries to reach us virtually intact, whereas other medieval wall coverings that adorned church walls and told of battles have long since disappeared. Its name is eponymous to the town of Bayeux, where it has been preciously preserved since the Middle Ages. To this day, it is still very often referred to as "Queen Matilda's Tapestry", yet there is much doubt as to whether William the Conqueror's wife was behind its creation. When it was discovered in the 1720s, the tapestry was locally referred to as "La Toilette du Duc Guillaume" ("toilette" signifying "small canvas"). At the time, it was modestly considered as "an old strip of tapestry that can be seen in Bayeux Cathedral[1]". Hence the inappropriate present-day name of "tapestry". For indeed, the work was not produced on a loom in which the decor is created simultaneously to the fabric, but comprises a simple linen canvas adorned with embossed illustrations produced with a needle and woollen yarn. Since the term "Bayeux Tapestry" has been translated into so many languages and used as such for around three

centuries, it would now be difficult to insist that we refer to it as the "Bayeux Embroidery", even if this term is far more appropriate!

No documented archives offer us confirmation of who commissioned the Bayeux Tapestry. Nor do they tell us precisely where it was produced and, consequently, by whom. We can but put forward a number of theories. The theory adopted by the vast majority of historians of all nationalities considers Odo, William the Conqueror's half-brother and Bishop of Bayeux to have ordered the Tapestry's production to adorn Bayeux Cathedral, at the time under reconstruction. In doing so, he glorified the Norman Conquest of England, in which he had taken part with William, and offered it legitimacy by displaying it within a religious edifice. If we base our assumptions on this theory, he very probably had the tapestry's production entrusted to embroiderers from Kent, a county he received from William after the conquest. Their embroidery workshops were renowned. The scriptorium of St Augustine's Abbey in Canterbury, from where so many magnificent manuscripts emanated, was equally famous.

1. Quotation by Dom Maurice L'Archer, prior of Saint-Vigor.

Is it not indeed disquieting to compare the illuminations painted in Canterbury with certain scenes on the Tapestry?

A potential connection that many are unwilling to endorse. Other theories have been put forward in recent years. England is generally accepted as the Tapestry's birthplace, even if the precise location of the workshop varies from the region around London, with Barking Abbey and Waltham Abbey (both in Essex), or the south, with the city of Winchester, Wherwell Abbey (both in Hampshire) and Wilton Abbey (in Wiltshire), not to mention other, less credible sites. Among the possible sponsors behind the Tapestry's creation feature the Queen consort Edith of Wessex, Edward the Confessor's wife, the favourite candidate after Odo. Yet, Scolland, the Abbot of St Augustine of Canterbury, along with Eustace, Count of Boulogne, are also both worthy of note.

Rather than consenting to an English creation, two contemporary historians (a German and an Anglo-American) have revived the belief of some of their 19th century French predecessors that the Tapestry can only have been produced in France. Yet, the theory of a workshop either in Bayeux or in the Abbey of Saint-Florent de Saumur (in the Loire valley) is not convincing. The Tapestry comprises too many images and written forms of Anglo-Saxon origin for us to give credit to its possible production on the Continent.

Another mystery remains – that of its dating. Due to its iconographical content, the scientific community currently agrees that it was produced in the late 11th century, between 1066 – the year of the Battle of Hastings, and 1097, the year of Odo's death. For those keen on the idea that Odo was behind the Tapestry, the date often approaches the year 1082, when he was disgraced by William. Some believe the Tapestry was produced during the first two years after the Battle of Hastings, before William had to challenge any Anglo-Saxon rebellion. This theory fails totally to consider the material requirements to produce such a work. The canvas must have been woven as needed; as the wool for embroidery was spun; they were coloured later. Their unicity leads us to believe that raw materials could not have been ordered from a multitude of different workshops as was once suggested. I believe that, if such was the case, there would be many more disparities in the final work. Similarly, we must also consider the number of hours required to devise the scenario and to transcribe it in the form of drawings. If we rely on testimonies from present-day professional illustrators, painters and embroiderers who have copied the Tapestry in just one, or two years, we must not neglect the fact that to copy is not to create. The time required to inform the sponsor of how work was progressing, the time taken to create and to organise the scenes on three levels (a central panel surrounded with two friezes), to coordinate a team of illustrators and a team of embroiderers and to transcribe the drawings onto the canvas cannot have been limited to such a short timescale. The Tapestry is a work that was well-thought-out and every detail has its own importance. No matter how talented its contractor, no matter how brilliant the artists and craftworkers involved, they undoubtedly had to proceed by trial and error before achieving the result we know today. After all, has attentive study of the canvas not revealed a number of regrets? What more moving experience than to scrutinise the mark left by the embroiderer's needle, there where an unaccommodating stitch has been removed? For all these reasons, I believe more plausible to base our hypothesis on a date around 1070-1075.

All we know with certainty is that the Tapestry was present within Bayeux Cathedral in 1476. An inventory of the Cathedral's riches, currently preserved by the Archives départementales du Calvados, describes it as follows,

"A very long and narrow hanging, embroidered with images and writing depicting the conquest of England, which is hung around the nave of the Church on the day and through the octaves of the relics."

According to this description, it is a long and narrow canvas embroidered with images and inscriptions representing the Conquest of England. It was hung inside the cathedral nave, from pillar to pillar, during the feast of the relics, which took place every year from the 1st to the 8th of July. Outside this period, it was rolled inside a chest and kept alongside the cathedral's Treasure. Throughout the centuries, the Tapestry escaped many great dangers: first of all, the fire that struck the edifice, then the pillaging during the Hundred Years' War or ransacking by the Huguenots in 1562. During the French Revolution, it was salvaged thanks to wise spirits.

Bonaparte requested it be sent to Paris to be exhibited in the Napoleon Museum, later to become the Louvre, before being sent back to Bayeux in 1804. However, it was not returned to the cathedral. After a short period in the town's secondary school, it was presented in the town hall to interested archaeologists and tourists before joining the new Town Library opened in 1835. A glass cabinet protected it from damage as from 1842. It only left the town once more during the Second World War due to fears of theft by the Nazis. Fears that very nearly materialised. A few days after the Allies landed in Normandy, the Germans had it transferred under military escort from the Château de Sourches (Sarthe), one of the French museums' national warehouses where it had been placed under protection in 1941, to the Louvre in Paris. Their ultimate aim was to have it transported to Germany. When Paris was liberated, the Tapestry was exhibited in the Louvre for the second time in its history. It returned to Bayeux in 1945. Today, the Tapestry is displayed within the William the Conqueror Centre, the former theological seminary. It is hung behind a glass window, itself locked within a tailor-made safe, equipped with sophisticated systems to ensure both its security and excellent conservation.

On a fine ecru-coloured linen canvas, comprised of nine lengths of cloth stitched together with almost invisible seams, the story unfolds over a length of 68.5 metres and a height of 50 centimetres. It would be almost impossible to give more accurate figures. It is of a fabric that expands and contracts depending on how it is stretched out[2]. The story occupies an area of a height of around 33cm, surrounded by two 7 to 8cm-high friezes. These elements are in turn placed on a thicker canvas, also dating from the Middle Ages, and upon which 58 numbers were inscribed in black ink, probably during the 18th century.

The embroideries were probably added using wool that was coloured as fleece as opposed to already spun wool. Hence, the dyes are more deeply absorbed and offer richer colours. They are as follows: two red hues (pinkish or orange and brown-violet); one mustard yellow hue; one beige, three blue hues (blue-black, dark blue and mid blue); three green hues (dark green, mid green and pale green). They were all obtained from tinctorial plants: reds were taken from madder; yellow from weld; beige from a mixture of weld and woad and blues from woad.

2. In 1941, a German textile specialist measured the Tapestry at a total lenght of 68.46m, yet, in 1982, French restorers claimed a total length of between 68.38m and 68.58m.

Four different embroidery stitches were used. Stem stitch and couching stitch were the most frequently employed, whereas chain stitch and two-yarn split stitch were used more rarely. Stem stitches were used to transcribe the captions that appear the whole length of the work and to outline faces, hands and figure nudity. It also highlights the contours of all motifs created using couching stitches. The latter is also referred to as oriental stitch and, today, it is taught in Bayeux under the name of Bayeux stitch. It is achieved over three steps. Straight stretches of yarn cover the right side of the canvas, whereas the backside remains clear. A second series of threads are placed perpendicularly and are aimed at securing the first series onto the canvas. These couched stitches are all held in place by small stitches, generally positioned in staggered rows. Chain stitches and split stitches offer added relief to certain letters and to linear motifs. This work could only have been achieved by transcribing drawings onto the canvas and by stretching the canvas on looms.

No book could ever portray the visitor's fascination as he meanders his way the length of the Bayeux Tapestry. The work's present-day display,

in the form of a U, does not enable the sheer dimension of the Tapestry to be immediately appreciated, hence reinforcing the impression of an unfinished work. Yet, this book offers a fine array of top quality photographic reproductions in which the original colours have been reproduced as faithfully as possible. The commentary is introduced by a translation of the Latin text which offers a brief explanation of each scene. The scenes are often very long and have been divided into several sections, which have been numbered to facilitate comprehension.

The story told by the Tapestry is, of course, that of the Conquest of England in 1066 by William the Bastard, 7th Duke of Normandy, who whenceforth went down in history as William the Conqueror. It is also a unique documentary source on daily life and warfare in 11th century Normandy and England.

The three key characters in the story we are told are named Edward, William and Harold. The Tapestry opens with an illustration of Edward, later to be given the epithet of Edward the Confessor, due to his great piety. He was the son of the Anglo-Saxon king Æthelred II and of

Emma, sister of Richard II, Duke of Normandy, William's grandfather. He spent a large share of his life in exile in Normandy, driven out of England by Danish conquerors. He took the throne of England in 1042 and, to win support from the partisans of the Anglo-Danish clan, he married Edith, daughter of the powerful English Earl Godwin and his Danish wife Gytha, herself cousin to the King of Denmark. Edith was one of a bellicose and greedy sibship of which – upon the death of their father – Harold indisputably claimed the leadership. Edward and Edith had no heirs. In 1051, when most of the members of the Godwin family were in exile and Queen Edith herself had been sent to a convent, Edward very probably proposed that his second cousin William succeed him to the throne. Yet Edward had overlooked the Godwins' return to grace and the ambitions of Harold Godwinson, who had become highly influential throughout the nation and extremely popular in anti-Norman circles. The legacy of the English crown began, in fact, in 1064, when Harold travelled to Normandy...

Les scènes de la Tapisserie de Bayeux

Scenes of the bayeux tapestry

EDWARD REX

Le roi Edouard
King Edward

Le roi Edouard

La bordure décorative verticale sur la gauche de la scène introduit l'histoire. L'action se déroule dans une demeure de prestige, flanquée de tours percées de fenêtres. Les pierres des murs sont disposées en damier. On accède à l'aile située à notre gauche par des marches et une porte cintrée, et à l'aile située à notre droite par une porte munie de gonds. Il s'agit très certainement du palais de Winchester, situé au sud de l'Angleterre.

Face à nous, le roi Edouard siège en majesté*. Il est assis sur un coussin posé sur un trône avec un accoudoir décoré d'une tête de lion, et dont les pieds se terminent par des griffes. Il porte une couronne fleurdelisée et tient dans sa main un sceptre. Il reçoit deux personnages richement vêtus. L'un d'eux ne peut être que son beau-frère, Harold Godwinson. La gestuelle des mains laisse à penser qu'Edouard sollicite Harold. Il lui confie vraisemblablement la mission de se rendre en Normandie proposer le trône d'Angleterre au duc Guillaume. L'ordre est exécuté immédiatement. Des cavaliers quittent le lieu.

King Edward

The vertical decorative border to the left of the scene introduces the story. The action takes place in a prestigious dwelling, flanked with towers adorned with windows. The stones on the walls have been placed in a chequered pattern. Access to the wing located to our left is via steps and an arched door, whereas the right wing is reached via a hinged door. This is very probably Winchester Palace, located in the south of England.

King Edward sits in majesty before us. He is seated on a cushion, placed on a throne, the armrest of which is adorned with a lion's head and the feet of which are in the form of claws. He is wearing a fleur-de-lis crown and is holding a sceptre in his hand. He welcomes two richly clothed guests. One of them is undoubtedly his brother-in-law, Harold Godwinson. Edward's hand gestures suggest that he is beckoning to Harold. He is probably entrusting him with the mission of travelling to Normandy to propose the English throne to William. His orders are immediately executed. The horsemen leave the scene.*

EDWARD

REX:

VBI:HAROLD DVX:ANGLORVM:ET

UBI HAROLD DUX ANGLORUM ET SUI MILITES EQUITANT AD BOSHAM

Harold
Harold

Un centaure
A centaur

Où Harold, duc des Anglais, et ses soldats chevauchent vers Bosham

La toile a subi ici de nombreux accrocs, mais fort heureusement les sujets représentés n'ont pas été trop endommagés.

Nous assistons à une partie de chasse. Faucon au poing, qu'il retient par des jets*, Harold a pris la tête d'une troupe composée de cinq cavaliers. Bien que le texte latin signale la présence de soldats, ceux-ci sont habillés comme des civils et sont sans armes. Ils sont précédés de trois chiens portant des colliers auxquels sont fixés soit des anneaux de cuivre, soit des grelots qui permettent de signaler leur présence lorsqu'ils traquent du gibier. Devant eux s'élancent de plus petits animaux sans collier. S'agit-il aussi de chiens ? La scène se clôt par un arbre aux feuilles entrelacées et portant des fruits.

À noter dans la bordure inférieure, la présence de deux animaux mythologiques, des centaures* ailés.

Where Harold, Duke of the English, and his soldiers ride towards Bosham

This part of the canvas has several tears; however, thankfully, the characters represented here have not suffered excessive damage.

The scene depicts a hunting party. With a falcon at his wrist, held with jesses, Harold leads a troop comprised of five horsemen. Although the Latin text indicates the presence of soldiers, they are in civilian clothing and bear no weapons. They are preceded by three dogs wearing collars to which copper hoops have been attached, serving as bells to indicate their presence when they track game. Smaller animals without collars are running in front of them. Could they also be dogs? The scene comes to a close with a tree bearing interlacing leaves and fruit.*

Note the presence of two mythological animals on the lower frieze – winged centaurs.*

2.

UBI: HAROLD DUX: ANGLORUM: ET SUI MILITES: EQUITANT: AD BOS HAM ECC

ECCLESIA

Un arc en plein cintre
A semi-circular arch

Harold
Harold

L'église

Harold et ses compagnons sont arrivés à Bosham, port actif de la côte sud de l'Angleterre, proche de Chichester. Le village appartient à Harold. Son église, flanquée de deux tours et éclairée par une rangée de neuf fenêtres, est agrémentée d'un arc en plein cintre, aux proportions typiquement anglo-saxonnes. Il toujours visible aujourd'hui dans le chœur de l'édifice. Le toit, surmonté de deux croix, est couvert de bardeaux*.

Deux hommes s'apprêtent à venir y prier. Leurs jambes amorcent une génuflexion. Le premier, plus richement vêtu que le second, pourrait être Harold.

La scène suivante se déroule selon toute vraisemblance dans le manoir seigneurial. Dans une salle d'apparat située au premier étage, cinq convives se désaltèrent. Au centre, Harold tient une coupe en main. Aux extrémités de la pièce, deux hommes boivent dans de grandes cornes dont le rebord supérieur est décoré de métal précieux. L'escalier situé sur le pignon extérieur conduit directement à une plage. Un serviteur indique qu'il est temps d'embarquer. Son annonce est aussitôt suivie d'effet.

The church

Harold and his companions arrive in Bosham, a lively port on the southern English coast, near Chichester. The village belongs to Harold. Its church, flanked with two towers and lit by a row of nine windows, is adorned with a semi-circular arch of typically Anglo-Saxon proportions. It is visible to this very day in the church choir. The roof, surmounted with two crosses, is covered with shingles.*

Two men are preparing to pray. Their legs are on the point of genuflexion. The first, more richly clothed than the second, could be Harold.

The following scene probably takes place in the seigniorial manor. Five guests are drinking in a ceremonial room located on the first floor. In the centre, Harold is holding a cup in his hand. At either side of the room, two men are drinking from large horns, the upper edge of which is decorated with precious metal. The stair located on the outside gable leads directly to the beach. A servant indicates it is time to embark. His request is immediately put into effect.

3.

4.

ḃAꝰ ECCLESIA HIC HAROLD MARE

HIC HAROLD MARE NAVIGAVIT

Marin en position de vigie
*A sailor positions himself as
a look-out*

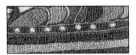

Trous de nage
Oar ports

Ici Harold prit la mer

Les vaguelettes soulignent le fait que la marée est montante. Les deux premiers voyageurs, chiens sous le bras et faucon au poing, ont ôté leurs chausses pour pénétrer dans l'eau. Ils sont suivis de subalternes portant des perches de navigation*. Tous les bateaux représentés sur cette scène possèdent les caractéristiques des navires vikings. Ils ont en commun d'avoir un fond plat et d'être construits à clin*, c'est-à-dire que leur coque est formée de six ou sept planches qui se recouvrent l'une l'autre.

Un bateau est en train de déhaler*. Deux marins pèsent de tout leur poids sur les perches pour lui faire quitter le rivage alors que trois autres rament. Au centre du navire, un marin s'emploie à monter le mât alors qu'à la proue, un autre, une main posée sur l'ancre, est représenté en position de vigie. Ce bateau diffère dans sa conception de celui du navire voisin. Il n'a pas de trous de nage* pour recevoir les avirons. Son gouvernail est muni d'une pièce horizontale qui, en haute mer, sera tenue à deux mains.

Here Harold took to the sea

The small waves indicate that the tide is rising. The first two travellers, dog under arm and falcon at wrist, have removed their hose to enter the water. They are followed by subordinates carrying navigation poles. All of the boats represented on this scene are characteristic of Viking ships. They all have a flat base and are clinked*, in other words, their hull is made of six or seven overlapping planks.*

One boat is busy warping. Two sailors are pushing down on the poles with all their weight to thrust the vessel away from the shore, whilst three others are rowing. In the centre of the ship, a sailor is hoisting up the mast whilst another, at the bow, his hand on the anchor, positions himself as a look-out. The design of this boat is different from the one next to it. It has no oar ports* to house the oars. Its rudder is equipped with a horizontal element which, in the high seas, is held with both hands.*

4.

ⵌ HAROLD MARE NAVIGAVIT ET VE LIS VENTO PLENIS VE NIT INTE RRA VVIDONIS COMITIS

ET VELIS VENTO PLENIS VENIT IN TERRA(M) WIDONIS COMITIS

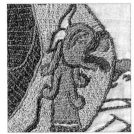

Une vigie
A look-out

Une figure de proue
A figurehead

Et, les voiles gonflées par le vent, il vint sur les terres du comte Guy

Le texte latin donne cours à une élégante allitération. Le vent gonfle les voiles des bateaux qui empiètent sur la bordure supérieure. Une tempête les jette sur les côtes du Ponthieu, comté bordant le nord-est de la Normandie.

Mis à part une chaloupe, les bateaux sont ornés à leur proue et à leur poupe de figures de monstres qui ont pour objet de susciter la crainte. Ils sont dirigés à l'aide d'un gouvernail fixe, tenu à la main par le pilote, et retenu au bordage* par une fixation souple. Est placée aussi le long du bordage une rangée de boucliers. Une voile rectangulaire, en lin ou en chanvre, se déploie le long d'un unique mât central. Le gréement* se réduit à six câbles retenant au bordage le sommet du mât.

La manœuvre d'approche est guidée par une vigie enserrant le mât et par un marin qui sonde la profondeur de l'eau tandis que deux autres matelots s'emparent de perches et que le reste de l'équipage affale* la voile. L'ancre est prête à être jetée.

And, the sails filled with the wind, he came to the land of Count Guy

The Latin text offers an elegant alliteration. The wind swells the ships' sails which overlap onto the upper frieze. A storm drives them to the coast of Ponthieu, a county on the north-eastern Norman border.

With the exception of one rowing boat, the bow and stern of all ships are adorned with figures of monsters aimed at arousing fear. They are steered by means of a fixed rudder which is held by the steersman and maintained in place on the clinker planks by a flexible fastening. A line of shields is also placed alongside the planks. A rectangular sail made of linen or hemp is raised along a single central mast. The rigging* is reduced to six cables which connect the top of the mast to the planks.*

Approach manoeuvres are guided by a look-out who clasps onto the mast and by a sailor who tests the depth of the water, whilst two other seamen take hold of poles and the rest of the crew haul down the sail. The anchor is ready to be cast.*

HAROLD

Harold
Harold

Harold

Du bateau de tête échoué sur le rivage où l'ancre a été jetée, c'est en vain que Harold tente d'expliquer les raisons de sa présence à une troupe en armes.

Harold

From the lead boat, grounded on the shore where the anchor has been dropped, Harold tries in vain to explain to an armed troop the reasons for his presence here.

HIC APPREHENDIT WIDO HAROLDU(M) ET DUXIT EUM AD BELREM

Guy de Ponthieu
Guy of Ponthieu

Ici Guy se saisit de Harold et l'emmena à Beaurain

À peine descendus sur la plage, jambes nues, Harold et ses compagnons sont appréhendés sans avoir eu le temps de se servir de leurs couteaux. Ils font face à un cavalier qui n'est autre que Guy Ier de Ponthieu, un petit seigneur, vassal* du duc de Normandie. En faisant prisonniers les naufragés, il applique le droit d'épaves* en vigueur à cette époque sur le littoral de l'Europe occidentale. Il les emmène loin de la Normandie, dans son château de Beaurain, dans la vallée de la Canche.

Here Guy seized Harold and took him to Beaurain

Barely have they set foot on the beach, bare-legged, when Harold and his companions are captured, without being given the time to use their knives. They are face to face with a horseman who is no other than Guy I of Ponthieu, a minor seigneur, vassal to the Duke of Normandy. By taking the shipwrecked crews prisoner, he applies the franchise of wreck* in force at the time on western European coasts. He takes them far from Normandy, to his château in Beaurain, in the Canche valley.*

ET IBI EUM TENUIT

Un griffon
A griffin

Un faucon représenté avec
des jets
*A falcon represented with
jessess*

Et où il le retint

Les chiens de Harold l'accompagnent dans sa captivité. Il chevauche, faucon au poing, entouré de cinq cavaliers qui n'ont rien de pacifique. Ils arborent des javelots et des boucliers. En tête de cette petite troupe, le cheval de Guy de Ponthieu avance au pas. Celui-ci tient aussi un faucon. L'oiseau symbolise son pouvoir.

Certains commentateurs ont voulu voir Harold dans le cavalier à droite de la scène, au prétexte que l'individu représenté porte des moustaches, à la manière anglo-saxonne. Cette identification viendrait à l'encontre des règles de préséance*. N'est-ce pas au seigneur du lieu d'ouvrir la route et au prisonnier d'apparaître en seconde position ? De plus, le mot « *tenuit* » qui renvoie à la captivité de Harold est tracé juste au-dessus du second cavalier.

Enfin, il est remarquable que les deux faucons ne regardent pas dans la même direction. Cela n'aurait-il pas une signification ?

And where he held him

Harold's dogs accompany him in captivity. He rides, falcon at fist, surrounded by five rather hostile looking horsemen. They are carrying javelins and shields. Guy of Ponthieu's horse walks slowly in front of this small troop. He is also carrying a falcon. The bird symbolises his power.

Certain commentators have preferred to identify Harold as the horseman to the right of the scene, arguing that the figure is wearing a moustache, in the manner of the Anglo-Saxons. Such identification is contrary to the rules of precedence. Is it not the place of the lord of the land to open the way and of the prisoner to appear in second position? Furthermore, the Latin word "tenuit" which illustrates Harold's captivity is inscribed immediately above the second horseman.*

Finally, it is worthy of note that the two falcons are looking in opposite directions. Could that not be of significance?

8.

ᚫAD·BEL·REM·ET·IBI·EVM·TEN·VIT: VBI·hA

UBI HAROLD ET WIDO PARABOLANT

Des Français
Frenchmen

Des Anglais
Englishmen

Où Harold et Guy parlent

Quatre Anglais, reconnaissables à leur moustache, et quatre Français, la nuque et la lèvre supérieure rasées, se massent à l'extérieur de la salle du château où Guy de Ponthieu reçoit Harold. L'architecture se veut par convention plus majestueuse qu'elle ne l'était en réalité dans un simple édifice en bois. Elle laisse apparaître le départ de deux arches soutenues par des colonnes à chapiteaux. Guy est assis sur un fauteuil aux accoudoirs décorés de têtes d'animaux et aux pieds griffus ; ses pieds sont posés sur un *scabellum*, sorte de petite estrade. Il porte haut son épée, attribut de son rang, alors que Harold l'écoute, l'épée tournée vers le sol. La conversation dont nous ne saurons rien, est suivie par un personnage à demi-caché par le pilier de droite et prêt au départ. Ne s'agit-il pas d'une demande de rançon qui sera transmise à Guillaume de Normandie ? L'arbre, aux entrelacs somptueux se terminant par des feuilles, marque une césure dans le récit.

Une scène des travaux des champs prend place dans la frise inférieure. Un âne, guidé par un paysan, tire une charrue dont le mancheron est tenu par un laboureur.

Where Harold and Guy speak

Four Englishmen, recognisable thanks to their moustaches, and four Frenchmen, the nape of their necks and their upper lips shaved, gather outside the castle room where Guy of Ponthieu receives Harold. The architecture is, by convention, deliberately depicted as more majestic than it actually was in such a simple wooden edifice. It shows the beginning of two arches supported by columns adorned with capitals. Guy is seated on an armchair the armrests of which are decorated with animal heads and clawed feet; his feet are placed on a scabellum, *a sort of small podium. He is holding his sword upright, a symbol of his rank, whereas Harold is listening to him, his own sword pointing to the floor. Their conversation, of which we know nothing, is eavesdropped by a figure who is partly concealed by the pillar to the right and is preparing to leave. Could it be a ransom demand forwarded to William of Normandy? The tree, adorned with sumptuous interlacing tipped with leaves, marks a break in the story.*

A scene of work in the fields occupies the lower frieze. A donkey, guided by a farmer, is pulling a plough, the handle of which is held by a ploughman.

UBI NUNTII WILLELMI DUCIS VENERUNT AD WIDONE(M)

Turold porte une barbe
Turold wears a beard

Où les envoyés du duc Guillaume vinrent trouver Guy

La scène est délimitée à gauche par un arbre et à droite par un bâtiment au toit en forme de coupole reposant sur trois arcs. Guy, escorté d'un garde, s'appuie sur une grande hache, symbole de commandement. Sa tenue vestimentaire très soignée – manteau drapé et bliaud* avec un motif d'écailles – démontre sa supériorité par rapport à ses visiteurs normands. Son premier interlocuteur semble vouloir le convaincre avec son index tendu vers lui.

La bande inférieure continue d'illustrer les travaux des champs. Un semeur jette à la volée des graines dans les sillons avant que la herse, tractée par un cheval tenu à la longe, ne les recouvre. Plus loin, un paysan libère de sa fronde la pierre avec laquelle il vise deux oiseaux.

Where William's emissaries came to find Guy

The scene is delimited to the left by a tree and to the right by a building with a dome-shaped roof supported by three arches. Guy, escorted by a guard, is leaning on a large axe, a symbol of his command. His attire is elegant – draped coat and bliaud with a shell motif – demonstrating his superiority over his Norman visitors. The first to speak to him appears to be trying to convince him, his forefinger pointed towards him.*

The lower frieze continues to illustrate work in the fields. A sower is throwing seeds in the furrows before the harrow, drawn by a horse held with a tether, covers them. To the right, a peasant uses a catapult to aim a stone at two birds.

TUROLD

Une centauresse
A centauress

Turold

Ce nom d'origine scandinave, assez courant en Normandie, s'applique-t-il au petit individu barbu qui tient par la bride deux chevaux dont l'un semble piaffer ? Est-ce un nain ? Nous sommes face à une des énigmes de la Tapisserie.

Turold

Could this name of Scandinavian origin, quite common in Normandy, refer to the small bearded figure who is holding two horses by the bridle, one of which seems to be stamping? Is he a dwarf? Just one more of the Tapestry's riddles.

UBI·NVNTII·VVILLELMI·DVCIS·VENERVNT·ADVVIDO
NÉ

TVROLD

NUNTII WILLELMI

Les messagers de Guillaume

Les messagers de Guillaume quittent Beaurain. Ils sont représentés à contre courant du déroulé de l'action. Ils chevauchent au galop, cheveux au vent, pressés de revenir en Normandie.

William's messengers

William's messengers leave Beaurain. They are represented heading in the opposite direction of the ongoing action. They gallop off, their hair blowing in the wind, eager to return to Normandy.

Un sanglier
A boar

HIC VENIT NUNTIUS AD WILGELMUM DUCUM

Ici un messager vint trouver le duc Guillaume

La scène s'ouvre sur un guetteur perché dans un arbre et se poursuit par la figuration d'une entrevue. Curieusement, elle ne prend pas place dans la fortification dessinée juste après, où elle a pourtant dû se dérouler. Sans doute s'agit-il de la Tour de Rouen, imposant donjon au sommet duquel veillent deux gardes derrière une rangée de créneaux. Guillaume, duc de Normandie, siège en majesté* dans une représentation proche de celle de Guy à la scène 9. Il reçoit un émissaire anglais (il porte une moustache) qui ploie les genoux devant lui en signe de déférence. Il a été introduit par deux gardes en armes.

La bordure inférieure est consacrée à une scène de chasse à laquelle participent de nombreux chiens, encadrés par un veneur sonnant du cor.

Here, a messenger came to see Duke William

The scene opens on a look-out perched in a tree, to continue with the representation of a meeting. Strangely this encounter is not represented inside the fortification illustrated immediately after, yet it very probably took place there. It is probably the Tower of Rouen, a striking keep at the top of which two guards are keeping watch behind a row of crenulations. William, Duke of Normandy sits in majesty* in a representation similar to that of Guy in scene 9. He receives an English emissary (with a moustache) who is bending his knees before him as a sign of deference. He has been introduced by two armed guards.

The lower frieze depicts a hunting scene involving several dogs led by a venerer who is sounding a horn.

Un bélier
A ram

NVN TII : VVILIEL MI   HIC   VENIT NVNTIVS : AD WIL GEL MVM DV CEM

HIC WIDO ADDUXIT HAROLDUM AD WILGELMUM NORMANNORUM DUCEM

Un cervidé attaqué par
un chien
A cervid attacked by a dog

Un dragon
A dragon

Ici Guy conduisit Harold auprès de Guillaume, duc des Normands

Les négociations ont abouti. Les textes des chroniqueurs nous apprennent que Guillaume a versé une grosse somme d'argent et donné une terre à Guy de Ponthieu en échange de la liberté de Harold, et que la rencontre des protagonistes de l'histoire se déroule à Eu, à la limite septentrionale de la Normandie.

La scène se divise en deux parties. Deux cavaliers, bien détachés de leur escorte, ouvrent le cortège. Guy, faucon au poing, chevauche une mule à la robe noire chatoyante, et non un cheval, à l'instar de tous les autres cavaliers de la Tapisserie. Le dessinateur a-t-il souhaité tourner en dérision ce modeste seigneur qui a osé retenir prisonnier un grand personnage ?

Guy désigne de la main Harold qui arbore à son poing, lui aussi, un faucon. Contrairement à la scène 8, les deux oiseaux regardent dans le même sens.

Entre la scène de chasse et deux dragons soufflant le feu, la bordure inférieure dépeint une scène érotique dont la signification à cet endroit nous échappe.

Here, Guy took Harold to William, Duke of the Normans

Negotiations have begun. Texts by chroniclers reveal that William paid a large sum of money and gave land to Guy of Ponthieu in exchange for Harold's freedom and that the encounter between the protagonists took place in Eu, on Normandy's northernmost border.

The scene is divided into two sections. Two horsemen, who have distanced their escort, lead the cortège. Guy, falcon at fist, is riding a mule with a shimmering black coat, rather than a horse, as used by all other horsemen throughout the Tapestry. Could the illustrator have looked to make a laughing stock of this minor seigneur who had dared hold a nobleman prisoner?

Guy is pointing to Harold, who also has a falcon in his fist. In contrast with scene 8, the two birds are looking in the same direction.

Between the hunting scene and two fire-breathing dragons, the lower frieze depicts an erotic scene, the significance of which is a mystery here.

HIC : WIDO : AD DVXIT HAROLDVM ADVVILGELMVM : NORMAN

Harold
Harold

Guillaume
William

Un deuxième groupe occupe la partie droite de la scène. Guillaume, duc de Normandie, vient en personne accueillir Harold, montrant par là l'intérêt qu'il lui porte. Il précède son escorte et interpelle Guy de Ponthieu de son index tendu. Son costume est particulièrement recherché. Il est vêtu d'un manteau galonné, retenu à l'épaule par une fibule*.

Au milieu des différents oiseaux de la bordure supérieure, on remarque deux chameaux dessinés de manière assez réaliste en dépit du peu de connaissances que les Européens avaient alors de ces animaux exotiques, élevés dans de rares ménageries princières. Leur présence ici est peut-être à mettre en lien avec la symbolique d'individus tiraillés entre deux choix, idée que l'on trouve développée dans les discours de moralistes.

Le premier des neuf lés* de toile composant la Tapisserie se termine ici. On devine le début de la couture à droite du dernier oiseau de la frise supérieure.

A second group occupies the right-hand section of the scene. William, Duke of Normandy, comes personally to welcome Harold, hence demonstrating his attention to him. He leads his escort and points to Guy of Ponthieu with his forefinger. His costume is particularly elegant. He is wearing a braided coat, held at the shoulder by a fibula.*

Amidst the different birds on the upper frieze, we can note the presence of two relatively realistically illustrated camels, despite very little European knowledge of these exotic animals which were bred in only a few rare princely menageries. Their presence here could be linked to the symbolism of individuals torn between two choices, an idea that is developed by certain moralists.

The first of the nine lengths of canvas that comprise the Tapestry ends here. The start of the seam can be seen to the right of the last bird on the upper frieze.*

HIC DUX WILGELM CUM HAROLDO VENIT AD PALATIU(M) SUU(M)

Un lion
A lion

Chausses fixées par des lanières à pompons
Hose attached by thongs adorned with pompoms

Ici le duc Guillaume, accompagné de Harold, vint en son palais

Le deuxième lé* de la Tapisserie s'ouvre sur deux arbres auxquels succède une troupe de cavaliers.

Si on en croit le texte qui les désigne très clairement, et si on se réfère aux coupes de cheveux en vogue à cette époque, Harold chevauche en tête et Guillaume le suit, faucon au poing. Il est vrai que le cavalier à l'étalon noir a la mise recherchée qu'il sied à un personnage de son rang : il est le seul à porter un manteau.

Précédés de deux chiens, ils s'approchent d'une tour à trois étages, flanquée de tourelles. Leur présence est décelée par un guetteur. Ils pénètrent alors dans le palais que Guillaume possède à Rouen. Il occupe la partie centrale de la toile, ne laissant aucune place à un texte. La partie haute de l'édifice est décorée d'une rangée d'arcatures* aveugles en plein cintre, proche de ce que l'on peut voir aujourd'hui à la Salle de l'Échiquier du château de Caen. Son faîte coloré rappelle la couverture en tuiles vernissées du manoir de Bosham.

Here Duke William, in the company of Harold, came to his palace

The second length of the Tapestry opens with two trees followed by a troop of horsemen.*

If we judge by the text that clearly designates them, and if we consider the hairstyles in vogue at the time, Harold is riding ahead and William is following him, falcon at fist. It is true that the horseman on the black stallion is wearing elegant attire which befits a character of such rank: he is the only one to be wearing a coat.

Preceded by two dogs, they approach a three-floor tower flanked with turrets. They are noticed by a look-out. They then enter William's palace in Rouen. It occupies the entire central panel, leaving no room for text. The upper part of the edifice is decorated with a row of semi-circular blind arcades, similar to those that can be admired today in the Hall of the Exchequer in Caen Castle. Its coloured ridgepole is reminiscent of the varnished tiles at the Manor of Bosham.*

Un accoudoir à tête de canidé

An armrest adorned with a canine head

Guillaume reçoit son hôte dans l'*aula*, la salle d'apparat du palais. Harold, bien campé sur ses jambes, gesticule en désignant un membre de l'escorte sous laquelle apparaît, dans la frise inférieure, un homme nu maniant une doloire*. Ce dessin pour le moins étrange ne peut être décrypté, au contraire de la figuration de deux paons dans la frise supérieure : l'un statique, l'autre faisant la roue, caricaturent l'attitude des deux interlocuteurs.

William receives his host in the aula, the palace's ceremonial room. Harold, upright in his stirrups, is gesticulating towards a member of the escort under whom, in the lower frieze, a naked man is working with a broad axe*. This rather strange illustration cannot be deciphered, as is the case of the representation of two peacocks in the upper frieze: one is static, the other fanning its tail, to caricature the attitude of the two men.

SCÈNE 15

UBI UNUS CLERICUS ET ÆLFGYVA

Là un clerc et Ælfgyve

Sous un portique d'aspect scandinave, un clerc* soufflète* une jeune fille nommée Ælfgyve. Une hypothèse peu crédible fait d'elle une fille de Guillaume fiancée à Harold. Toutes les autres théories se fondent sur la présence de l'homme s'exhibant dans la frise inférieure, voyant là un lien avec un épisode scandaleux. Il pourrait s'agir d'Ælfgyve de Northampton, concubine du roi Cnut, ou de la reine Emma, accusée d'avoir entretenu une relation avec l'évêque Ælfwine, ou encore d'Eadgifu, abbesse de Leominster, maîtresse de Sven Godwinson, voire de l'abbesse de Wilton, sœur de Harold, et de son chapelain.

Un prêtre tonsuré

A tonsured priest

There a cleric and Ælfgifu

Under a Scandinavian-style porch, a cleric* is cuffing* a young girl named Ælfgifu. A theory of little credibility suggests she is one of William's daughters and Harold's fiancée. All other theories are based on the presence of the man exposing himself in the lower frieze, suggesting a scandal linking the two images. She could be Ælfgifu of Northampton, King Cnut's concubine, or Queen Emma, accused of having a relationship with Bishop Ælfwine, or Eadgifu, abbess of Leominster, whose lover was Sweyn Godwinson, or even the Abbess of Wilton, Harold's sister, and his chaplain.

HIC WILLEM DUX ET EXERCITUS EIUS VENERUNT AD MONTE(M) MICHAELIS

Un amphisbène
An amphisbaenian

La fable du corbeau et du renard
The fable of the fox and the crow

Ici le duc Guillaume et son armée vinrent au Mont Saint-Michel

Cet épisode est le premier d'une digression consacrée à la conduite d'une expédition guerrière en Bretagne.

Rivallon, seigneur de Dol, s'est révolté contre son suzerain★ Conan II de Bretagne et a appelé à l'aide Guillaume de Normandie. Celui-ci, prêt à contrecarrer les ambitions territoriales du duc breton, prend la tête de son armée. On le reconnaît à sa haute taille et à la qualité de son équipement militaire. Il est revêtu d'une broigne★ recouverte de triangles de cuir et tient un bâton de commandement dans sa main droite. Parmi les cavaliers, deux soldats portent une cotte de mailles★ et un casque à nasal★ ; les autres sont habillés de simples bliauds★. Ils entreprennent la traversée du Couesnon. Ils passent à proximité du Mont Saint-Michel, reconnaissable à son roc surmonté de l'abbatiale qui occupe toute la frise supérieure. L'un des cavaliers pivote curieusement sur sa selle, genoux relevés dans une attitude proche de l'amazone. Est-il pris de panique à l'idée de traverser le fleuve ?

Les deux amphisbènes★ de la frise supérieure n'apparaissent nulle part ailleurs dans la Tapisserie.

Here Duke William and his army came to the Mont Saint-Michel

This episode is the first in a digression depicting a warfare expedition to Brittany.

Rivallon, the Seigneur of Dol, has revolted against his suzerain★ Conan II of Brittany and has called upon William of Normandy for support. William, keen to thwart the Breton duke's territorial ambitions, personally leads his army. He is recognisable thanks to his tall height and the quality of his military equipment. He is wearing ring armour★ covered with leather triangles and is carrying a rod of command. Among the horsemen, two soldiers are wearing coats of mail★ and nasal helmets★; the others are wearing simple bliauds★. They start to cross the River Couesnon. They ride close to the Mont Saint-Michel, an easily recognisable rock surmounted with an abbey-church represented on the upper frieze. One of the horsemen is intriguingly turning on his saddle, his knees in a position close to side-saddle riding. Could he be panic-stricken at the idea of crossing the river?

The two amphisbaenae★ on the upper frieze appear at no other point in the Tapestry.

16.

WILLEM: DVX: ET EXERCITVS: EIVS: VE NERVNT: AD MON TE MICHAELIS ET H

Harold

Harold

Un centaure

A centaur

ET HIC TRANSIERUNT FLUMEN COSNONIS

Et ici ils traversèrent le fleuve Couesnon

And here they crossed the River Couesnon

HIC HAROLD DUX TRAHEBAT EOS DE ARENA

Ici le duc Harold les tirait des sables mouvants

Here Duke Harold drew them from the sinking sands

La traversée du Couesnon est périlleuse. Les hommes, brandissant leurs boucliers au-dessus de leur tête, sont menacés de s'enliser dans les sables mouvants. Déjà, un cavalier et sa monture s'affaissent. Harold, nommément désigné, sauve courageusement deux soldats.

La bordure inférieure fait voir les poissons qui pullulent dans la baie, en particulier les anguilles. Un personnage tenant un couteau semble être entraîné à leur suite. Il est tentant d'y voir Beowulf, héros scandinave de la littérature anglo-saxonne. Les figures suivantes comprennent un centaure* et renforcent l'hypothèse selon laquelle il s'agirait du récit d'une scène mythologique.

La bordure supérieure montre un abbé.

The Coesnon crossing is perilous. The men, brandishing their shields above their heads, risk being submerged in the sinking sands. One horseman and his mount have already collapsed. Harold, designated by name, bravely saves two soldiers.

The lower frieze depicts the fish that proliferate in the bay, eels in particular. A figure holding a knife seems to be pursuing them. It is tempting to identify him as Beowulf, a Scandinavian hero in Anglo-Saxon literature. The figures that follow include a centaur, hence reinforcing the theory of the account of a mythological scene.*

The upper frieze portrays an abbot.

ET VENERUNT AD DOL

Et ils vinrent à Dol

And they came to Dol

Les soldats galopent vers Dol. La face interne des boucliers n'a jamais été aussi bien montrée qu'ici. Ils sont plaqués contre l'avant-bras et maintenus aux doigts de la main par plusieurs cordons.

The soldiers gallop towards Dol. The inside of their shields has never been so accurately depicted as in this scene. They are held close to the forearm and attached to the fingers by means of several cords.

17.

HIC:TRANSIERVNT:FLVMEN:COSNONIS:ETVENERVNT   AD:DOL:ET:CONAN

hIC:hAROLD:DVX:TRAhEBAT:EOS

DEARENA

ET CONAN FUGA VERTIT

Conan
Conan

Et Conan prit la fuite

Dol est la première des trois fortifications bretonnes attaquées par les Normands. Comme les suivantes, elle est représentée de façon stéréotypée, avec un château juché sur une motte* entourée d'un fossé. Bien que l'édifice se réduise ici à une tour crénelée, les murs en damier suggèrent qu'ils sont partiellement construits en pierre. À gauche, quelques boucliers superposés sont accrochés de façon étonnante à un mur extérieur.

L'assaut de la cavalerie a pour conséquence la fuite peu glorieuse de Conan. Il s'échappe à l'aide d'une corde.

And Conan took flight

Dol is the first of three Breton fortifications attacked by the Normans. Just like the ones to follow, it is represented in a stereotyped manner, with a castle perched on a mound* surrounded by a ditch. Although the edifice here is reduced to a simple crenulated tower, the chequered walls suggest that they are partly made of stone. To the left, a few overlapping shields are bizarrely hanging on an outside wall.

The cavalry assault results in Conan's not-so-glorious retreat. He escapes using a rope.

REDNES

Une motte
A mound

Rennes

Le château de Rennes, sous la forme d'une tour surmontée d'une coupole, occupe toute la place derrière la palissade crénelée qui l'entoure. Elle est percée d'une porte accessible par un escalier construit au flanc de la motte.

Conan qui s'est replié dans la capitale de son comté essuie une charge de cavalerie. Pour la première fois du récit, tous les soldats, sans aucune exception, sont protégés par un équipement militaire complet.

Rennes

The Château de Rennes, represented in the form of a tower surmounted with a dome, occupies the remaining space behind the crenulated stockade around it. It has a gate which is accessed by a stair built on the bank of the mound.

Conan, who has retreated to the capital of his county, faces the charging cavalry. For the first time in the story, all soldiers, with no exception, are equipped with full military protection.

L·ET·CONAN· FVGA VER TIT· hIC MILITES

RED NES

HIC MILITES WILLELMI DUCIS PUGNANT CONTRA DINANTES

Un casque à nasal
A nasal helmet

Un gonfanon
A gonfalon

Ici les chevaliers du duc Guillaume combattent contre Dinan

Conan a trouvé refuge à Dinan. Les attaquants s'élancent vers la forteresse. Leur nombre ne varie pas d'une scène à l'autre : ils sont quatre à partir à l'assaut de chaque château. Leurs javelots atteignent leur but bien que les assiégés essayent de les esquiver en se couvrant de leurs boucliers Un trait transperce l'œil du défenseur surplombant la porte communiquant avec le pont. La palissade de bois est léchée par les flammes des brandons* que deux fantassins ont réussi à embraser au pied de la motte*.

Conan se déclare vaincu et apparaît à l'autre porte de la ville, remettant les clés de Dinan au bout d'une lance décorée d'un gonfanon*.

Une fois encore, la scène a débordé sur la frise supérieure. Le toit du château, en forme de carène* renversée, correspond aux constructions en bois du XIe siècle, reconstituées grâce aux fouilles archéologiques menées en Scandinavie, Angleterre et Normandie.

Here Duke William's horsemen fight against Dinan

Conan has taken refuge in Dinan. The attackers thrust towards the fortress. Their numbers do not vary from one scene to the next: four of them launch the attack on each castle. Their javelins hit their targets whilst the besieged soldiers try to dodge them by covering themselves with their shields. An arrow hits the eye of the defender above the gate that communicates with the bridge. The wooden stockade is licked by the flames of the firebrands* that two infantryman have succeeded in lighting at the foot of the mound*.

Conan admits defeat and appears at the other gate to the town, as he hands over the keys to Dinan at the tip of a spear decorated with a gonfalon*.

Once more, the scene overlaps onto the upper frieze. The castle roof, in the form of an overturned carina*, is typical of 11th century wooden constructions which have been reproduced thanks to archaeological excavation in Scandinavia, England and Normandy.

ET CUNAN CLAVES PORREXIT

Et Conan tendit les clefs

Les clefs d'une des portes de la ville de Dinan glissent de la lance de Conan à celle de Guillaume. Ainsi se conclut l'expédition de Bretagne dont la Tapisserie offre le témoignage le plus complet.

And Conan handed over the keys

The keys to one of the gates of the town of Dinan slip from Conan's spear onto William's. This illustration concludes the Breton expedition of which the Tapestry offers the most comprehensive testimony.

Guillaume
William

HIC WILLELM DEDIT HAROLDO ARMA

Ici Guillaume donna les armes à Harold

Le fait que cette séquence n'implique que Guillaume et Harold et en exclut tout spectateur n'est pas banal étant donné le sujet traité. Si certains historiens contestent qu'il s'agisse d'une scène d'adoubement, il n'en demeure pas moins que Guillaume « donne les armes » à Harold, ce qui consiste en une cotte de mailles, un casque et une épée. De la sorte, Harold prête serment de fidélité à Guillaume et devient en théorie l'homme lige* de Guillaume. Mais peut-être ne faut-il voir dans le geste de Guillaume, posant sa main sur le casque de Harold, qu'une manière de l'honorer.

Here William gave weapons to Harold

The fact that this section exclusively depicts William and Harold and includes no spectators is far from banal given the subject matter. Although certain historians dispute the idea of a dubbing scene, William nevertheless "gives weapons" to Harold in the form of a coat of mail, a helmet and a sword. As such, Harold swears an oath of fidelity to William and, in theory, becomes William's liegeman. Yet, perhaps William's gesture, as he places his hand on Harold's helmet, should be interpreted simply as a way of honouring him.*

Harold
Harold

20. 21.

NANTES : ET CVNAN : CLAVES : POR REXIT : HIC WILLELM : HIC WILLELM

DEDIT : HAROLDO :

ARMA

HIC WILLELM VENIT BAGIAS

Une tête d'animal fantastique
The head of a fantasy animal

Deux aigles
Two eagles

Ici Guillaume vint à Bayeux

Guillaume arrive à Bayeux au pas, à la tête de la cavalerie normande. Il est peu probable que le château ait été construit sur une motte et ait été desservi par un chemin d'accès aussi raide. On y pénètre par un avant-corps dont se détache, au sommet d'une colonne, la tête d'un animal extraordinaire. Le donjon est encadré de deux tours couronnées de palissades. Il est coiffé d'un toit en coupole se terminant probablement par un épi de faîtage. Le tout empiète sur la frise supérieure.

On a voulu voir dans les deux aigles du pied de la motte des figures héraldiques, au prétexte qu'on les retrouve dans les armes du Chapitre de Bayeux et sur la face interne du portail occidental de la cathédrale de Bayeux. Cette interprétation est douteuse car on ne peut la transposer aux oiseaux de la motte de Dol ni aux moutons de la motte de Rennes.

Les premiers objets de la scène suivante (le bouclier d'un garde et le fauteuil de Guillaume) sont si contigus à la motte qu'ils en épousent la forme. L'action à venir se déroulerait-elle aussi à Bayeux ?

Here William came to Bayeux

William walks his horse into Bayeux, at the head of the Norman cavalry. There is little likelihood that the castle had been built on a mound and reached via such a steep access route. It is entered by a forebuilding from which an extraordinary animal adorns the top of a column. The keep is flanked by two towers crowned with stockades. The roof is in the form of a dome, probably surmounted with a finial. The edifice overlaps onto the upper frieze.

Some believe that the two eagles at the foot of the mound are heraldic characters, on the pretext that they also appear on the arms of the Bayeux Chapter and on the inside of the western porch of Bayeux Cathedral. This interpretation is questionable for the same does not apply to the birds on the Dol mound and the sheep on the Rennes mound.

The first objects on the following scene (a guard's shield and William's armchair) are so close to the mound that they follow its shape. Could the next event have also taken place in Bayeux?

22.

23.

WILLELM VENIT : BAGIAS VBI : HAROLD : SACRAMENTVM : FECIT : HIC HA

VVILLELMO DVCI :

UBI HAROLD SACRAMENTUM FECIT WILLELMO DUCI

Des châsses
Reliquaries

Là Harold prêta serment au duc Guillaume

Cette scène essentielle n'est pas localisée et aucun édifice n'est figuré. L'action a pourtant dû se dérouler dans un endroit clos. Les sources ne sont pas concordantes. Wace place l'événement à Bayeux ; Orderic Vital à Rouen ; Guillaume de Poitiers à Bonneville-sur-Touques. De surcroît, le texte ne donne pas l'objet du serment. Nous en sommes réduits à supposer que Harold se serait engagé à reconnaître Guillaume comme le successeur du roi Edouard. Toujours est-il que le serment a été sacralisé car il a été prêté sur des reliques. Si la cérémonie s'est déroulée dans la cathédrale de Bayeux, il doit s'agir de celles des saints Raven et Rasiphe. Les châsses de facture différente reposent sur des autels recouverts d'étoffes.

Les partisans de Harold ont par la suite déclaré qu'il n'avait pas été conscient de la valeur de son serment. Néanmoins, cette scène fait réfléchir sur le danger de rompre un serment et sur la condamnation du parjure par Dieu.

There Harold swore an oath to Duke William

The location of this essential scene is not shown and no edifice is represented. Yet the action necessarily took place in a closed place. Sources disagree. Wace locates the event in Bayeux; Orderic Vitalis in Rouen; William of Poitiers in Bonneville-sur-Touques. Furthermore, the text does not provide the subject of the oath. We are left to suppose that Harold is committing himself to acknowledging William as King Edward's successor. In any case, the oath is rendered sacred, for it is made over holy relics. If the ceremony indeed took place in Bayeux Cathedral, they are very probably the relics of Saint Raven and Saint Rasiphe. The reliquaries, of different styles, are placed on altars covered with fine fabric.

Harold's supporters subsequently claimed that he was unaware of the value of his oath. This scene nevertheless leads the spectator to consider the danger of breaking an oath and God's condemnation in the case of betrayal.

UBI HAROLD SACRAMENTUM FECIT: HIC HAROLD DUX:
VVILLELMO DUCI:

HIC HAROLD DUX REVERSUS EST AD ANGLICAM TERRAM

Un gouvernail
A rudder

Harold
Harold

Ici le duc Harold retourna en Angleterre

Harold quitte le continent à bord d'un navire dont les caractéristiques diffèrent de celles des bateaux empruntés lors du voyage aller. La perspective est mieux rendue : les bordés* sont plus bombés, l'étrave* et l'étambot* sont courbes. La voile est traitée avec une grande habileté. Le laçage sur la vergue* offre à lui seul un enseignement exceptionnel : en effet, ces éléments putrescibles ont à jamais disparu et la Tapisserie apporte un témoignage précieux.

Les vagues battent la coque pendant la traversée qui s'achève dans un lieu dont le nom est tu. Un bâtiment surplombe la plage à laquelle on accède par un petit escalier. Un guetteur se tient sur une plateforme décorée d'une tête d'animal fantastique, mi-oiseau par le bec, mi-escargot par les cornes. De la maison accolée, quatre curieux se penchent aux fenêtres.

Deux chevaux quittent le port, avec Harold sur le dos de l'étalon et son écuyer ouvrant la route.

Here Duke Harold returned to England

Harold leaves the Continent aboard a ship, the characteristics of which differ from the boats used for the outbound journey. The perspective is improved: the clinker planking* takes on a more convex form, whereas the stem* and the stern-post* are curved. The sail is meticulously represented. The lacing on the spar* alone offers valuable information: indeed, these putrescible features, of which the Tapestry offers precious evidence, have long since disappeared.

The waves beat against the hull during the crossing which ends in a place, the name of which is kept secret. A building overlooking the beach is accessed via a small stairway. A look-out is standing on a platform decorated with the head of a fantasy animal. Four curious onlookers are leaning from the adjoining house.

Two horses leave the harbour, Harold on the back of the stallion and his equerry leading the way.

SIC HAROLD:DUX: REVERSVS :EST ADANGLICAM:T

ET VENIT AD EDWARDUM REGEM

Harold
Harold

Edouard
Edward

Et il vint trouver le roi Edouard

Une tour clôt l'épisode de la chevauchée et introduit l'espace de la demeure royale dans laquelle une entrevue est accordée à Harold par le roi Edouard. Aux deux extrémités de la scène, deux porteurs de hache d'apparat sont attentifs.

Il n'est pas à écarter que ce palais non identifié soit celui de Winchester, bien que l'on puisse pencher pour celui de Westminster, puisqu'il est accolé à l'abbaye du même nom à la scène suivante. Il est somptueusement décoré. Les effets de drapé sont particulièrement réussis. Le toit en forme de coupole est surmonté de deux tourelles au milieu desquelles figure un curieux édicule. Ces éléments empiètent sur la frise supérieure.

Edouard est montré de trois-quarts, assis sur un fauteuil aux pieds épatés et au décor de canidés. Il apparaît vieilli. Il porte un long manteau de cérémonie. Il pointe du doigt Harold qui paraît mal à l'aise : la voussure de ses épaules et les gestes de ses mains peuvent tout aussi bien indiquer sa déférence que sa duplicité. Il vient rendre compte de sa mission.

And he came to see King Edward

A tower concludes the riding scene and introduces the interior of the royal dwelling within which Harold is granted an audience with King Edward. At the two extremities of the scene, two ceremonial axe bearers pay much attention.

The possibility that this unidentified palace could be Winchester is not to be dismissed, yet it could also be Westminster, given that it adjoins the abbey of the same name in the following scene. It is sumptuously decorated. The drape effects are particularly well illustrated. The dome-shaped roof is surmounted with two turrets, between which there is a strange kiosk. These features overlap onto the upper frieze.

Edward is seated sideways on an armchair with clawed feet and canine decorations. He looks old. He is wearing a long dress coat. He is pointing to Harold who looks uneasy: his slouched shoulders and hand gestures could equally be signs of deference or of duplicity. He has come to report on his mission.

AD ANGLICAM:TERRAM :ET VENIT:AD:EDVVARDV REGE M : HIC

HIC PORTATUR CORPUS EADWARDI REGIS AD ECCLESIAM S(AN)C(T)I PETRI AP(OSTO)LI

Un sonneur de tintenelles
A tintenelle (bell) ringer

Prêtres chantant un cantique
Priests singing hymns

Ici le corps du roi Edouard est porté à l'église Saint-Pierre Apôtre

La scène dépeinte ici peut être datée et située précisément. Elle se déroule à la Noël 1065, à Westminster, dans la banlieue de Londres, où Edouard dispose d'un palais. Une vaste abbatiale vient d'y être construite dans le style roman : arcs en plein cintre*, nef sur deux niveaux, éclairée de fenêtres hautes. Elle est dominée par quatre clochetons renforçant une tour monumentale, élevée à la croisée du transept, au sommet de laquelle un ouvrier fixera un coq. La main de Dieu faisant le geste de la bénédiction atteste de la consécration récente de l'édifice.

Un cortège funèbre traverse l'espace compris entre le palais royal et l'abbaye où les funérailles sont célébrées en ce 5 janvier 1066. Le corps du roi Edouard, décédé la veille, enveloppé certainement dans une peau de bœuf, est porté par huit hommes accompagnés d'enfants sonnant les tintenelles* et suivi de prêtres tonsurés chantant des cantiques. L'un d'eux porte un livre ouvert.

Here the body of King Edward is taken to the Church of St Peter the Apostle

This scene can be precisely dated and located. It took place at Christmas 1065 in Westminster on the outskirts of London, where Edward owned a palace. A vast Romanesque abbey-church has just been built there: semi-circular arches*, two-level nave, illuminated with high windows. It is dominated by four pinnacle turrets that reinforce a monumental tower erected at the transept crossing, on top of which a labourer is placing a weather vane. The hand of God, in a gesture of benediction, confirms the edifice's recent consecration.

A funeral procession occupies the space between the royal palace and the abbey, where the funeral indeed took place on the 5th of January 1066. The body of King Edward, deceased the previous day, swathed in what is probably an ox hide, is carried by eight men accompanied by children who are ringing tintenelles* and followed by tonsured priests singing hymns. One of them is carrying an open book.

HIC EAD

IN LECTO I

HIC PORTATVR CORPVS EADWARDI REGIS AD ECCLESIAM SCI

PETRI APLI

ET HIC : DE

E

HIC EADWARDUS REX IN LECTO ALLOQUIT(UR) FIDELES

La reine Edith
Queen Edith

Ici le roi Edouard, dans son lit, parle à ses fidèles

Le troisième lé* débute ici.

Le récit revient sur la mort du roi Edouard, dans la nuit du 4 au 5 janvier 1066, au palais de Westminster. Dressé sur son lit, le dos appuyé à un coussin, il est soutenu par un serviteur et assisté par un prêtre dont la barbe a poussé durant la nuit. La nature du propos d'Edouard à l'intention du noble personnage du premier plan ne nous est pas rapportée. Son nom et celui de la femme qui pleure en tenant son voile devant le visage ne sont pas tracés sur la toile, mais la chronique anglo-saxonne dit que Harold et sa sœur, la reine Edith, assistaient aux derniers instants du roi qui aurait alors confié l'Angleterre à Harold.

Here King Edward, in his bed, speaks to his followers

The third length* begins here.

The story continues with King Edward's death, on the night of the 4th to the 5th of January 1066, at the Palace of Westminster. Lying on his bed, his back on a cushion, he is propped up by a servant and accompanied by a priest whose beard has grown over the night. What Edward says to the noble figure in the foreground is not evoked. His name, and that of the weeping woman who is hiding her face with her veil, are not transcribed on the canvas; however, the Anglo-Saxon Chronicle claims that Harold and his sister, Queen Edith, were present during the king's last moments, when he is said to have entrusted Harold with the English crown.

ET HIC DEFUNCTUS EST

Le roi Edouard
King Edward

Et ici il est mort

Un prêtre bénit l'ensevelissement du corps d'Edouard.

And here he died

A priest blesses Edward's burial.

HIC DEDERUNT HAROLDO CORONA(M) REGIS

Ici ils donnèrent à Harold la couronne de roi

Brandissant leurs haches de cérémonie et la couronne royale, trois membres du Witangemot* entérinent le choix de Harold comme nouveau roi d'Angleterre le 6 janvier 1066.

Here they gave Harold the king's crown

Brandishing their ceremonial axes and the royal crown, three members of the Witangemot* ratify the choice of Harold as the new King of England on the 6th of January 1066.

HIC EADVVARD⅍:REX
INLECTO:ALLOQVIT:FIDELES:
ET hIC DEFVNCTVS
EST

HIC DEDERVNT:HAROLDO:
CORO NA: REGIS

HIC RE SIDET:HAROLD
REX:AN GLORVM:
STIGANT
ARCHI EPS

27.28.   29.   30.

HIC RESIDET HAROLD REX ANGLORUM

Harold
Harold

Ici siège Harold roi des Anglais

Harold fait fi de son serment de Bayeux et règne désormais sous le nom de Harold II. Il siège en majesté* sur un trône surélevé, le front ceint de la couronne fleurdelisée. Il tient dans sa main droite le sceptre et dans sa main gauche le globe crucifère, insignes de la royauté. Deux vassaux* lui apportent une épée nue, symbole du pouvoir temporel.

Here Harold sits as King of the English

Harold flouts the oath he took in Bayeux and now reigns as Harold II. He sits in majesty on a raised throne, his forehead donning the fleur-de-lis crown. In his right hand, he is holding a sceptre and in the left a cruciferous globe, both insignia representing royalty. Two vassals* bring him a naked sword, symbolising temporal power.*

STIGANT ARCHIEP(ISCOPU)S

Stigand
Stigand

L'archevêque Stigand

La présence de Stigand, archevêque de Cantorbéry, sacralise la cérémonie. Il est revêtu de l'habit liturgique et tient dans sa main gauche le manipule*, bande d'étoffe étroite, terminée par des franges.

Dans un espace voisin, la foule légitime par ses applaudissements le couronnement de Harold, ainsi que le veut la coutume.

The Archbishop Stigand

The presence of Stigand, Archbishop of Canterbury, renders the ceremony sacred. He is wearing liturgical dress and, in his left hand, is holding a maniple, a narrow strip of fabric adorned with fringes.*

In the adjacent space, the crowd's applause legitimates Harold's coronation, as according to custom.

29. 30. 31. 3

DEDERVNT: HAROLDO:
RO NA: REGIS

HIC RE SIDET HAROLD
REX: AN GLORVM:
STIGANT
ARCHI EPS

ISTI MIRANT ST

ISTI MIRANT STELLA(M)

Ceux-ci regardent une étoile avec étonnement

Sans aucune transition chronologique, un groupe d'hommes sort du palais pour regarder une boule de feu terminée par une queue en forme de chevelure qui passe dans le ciel. Il s'agit de la comète de Halley* qui fut visible en Angleterre entre le 24 avril et le 1ᵉʳ mai 1066. Ce phénomène alors inexplicable fut considéré comme une source de malheur.

Cette représentation de la comète est la plus ancienne connue au monde.

They watch a star with astonishment

Without any chronological transition, a group of men leaves the palace to look at a ball of fire ending in a hairlike tail as it flies through the sky. This is Halley's Comet*, which was visible in England from the 24th of April to the 1st of May 1066. This unexplained phenomenon was seen as a bad omen.

This is the oldest known representation of the comet in the world.

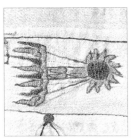

La comète de Halley
Halley's Comet

HAROLD

Harold

La légende ne tient qu'en un seul mot, « Harold », nous laissant face à un délicat problème d'interprétation. Dans une demeure royale, probablement celle de Westminster, le roi, la mine inquiète, les yeux écarquillés, se penche vers un messager. Tous deux portent une arme. Doivent-ils faire face à une menace ? La flotte fantôme de la bordure inférieure fait-elle allusion à une future invasion de l'Angleterre ? Les oiseaux de la frise supérieure sont-ils de mauvais augure ? Le plissement de la toile au niveau de l'étonnant pilier torsadé qui délimite le palais, accentue l'impression que tout va s'effondrer.

Harold

The caption is in the form of one single word "Harold", leaving us with the delicate question of its interpretation. Within a royal dwelling, probably Westminster, the king appears worried; wide-eyed, he leans towards a messenger. They both carry a weapon. Are they to face a threat? Could the phantom fleet on the lower frieze be an allusion to the future invasion of England? Are the birds on the upper frieze of ill omen? The creases in the canvas alongside the astonishing cable moulded pillar that marks the extremity of the palace accentuates the impression that everything is about to collapse.

Harold
Harold

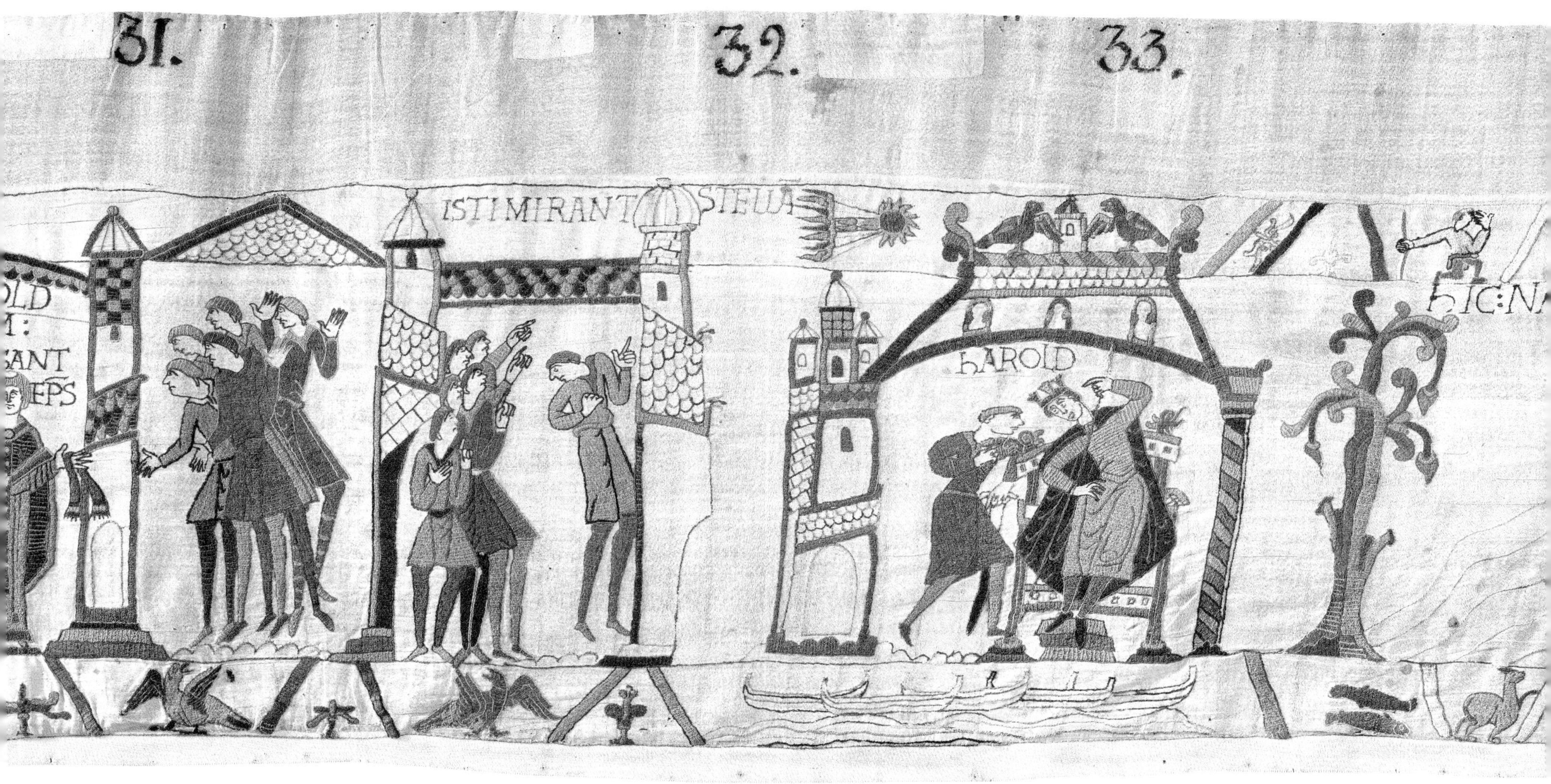
31.
32.
33.
ISTI MIRANT
STELLA
HAROLD
HIC:NA

HIC NAVIS ANGLICA VENIT IN TERRAM WILLELMI DUCIS

Un guetteur
A look-out

Une vigie
A watch

Ici un navire anglais vint sur la terre du duc Guillaume

Cette scène de navigation est délimitée par deux arbres dont les branches sont chargées de feuilles et de fruits. La mer occupe la moitié de l'espace tant et si bien que le bateau qui navigue déploie sa voile sur la bordure supérieure. Il est aperçu par un guetteur, la main en visière sur les yeux et le genou à terre.

Le navire est de petite taille si on en juge à son équipage réduit à quatre marins. Sa description pourrait passer pour à peu près identique à celles des scènes nautiques précédentes si elle n'était agrémentée d'éléments nouveaux. On ne voit pas de trous de nage* apparents le long du bordage* car ils sont bouchés de l'intérieur par de petites portes. L'écoute (le cordage qui sert à border la voile), est amarrée à la voile. Enfin, une girouette qui permet de s'orienter, est fixée au sommet du mât.

La Tapisserie nous laisse deviner le motif de cette traversée. En toute logique, des émissaires viennent rendre compte à Guillaume des changements survenus en Angleterre.

Here an English ship came to Duke William's land

This sailing scene is delimited by two trees, the branches of which are laden with leaves and fruit. The sea occupies half of the available space, to such an extent that the boat unfurls its sail onto the upper frieze. It is noticed by a look-out, his hand upon his forehead and his knee on the ground.

Judging by the crew of only four sailors, the ship is of small size. Its description could well have been almost identical to the ships in the previous nautical scenes, had it not been adorned with new features. There are no visible oar ports on the clinker planks*, for they have been blocked from inside with small doors. The sheet (the rope used to haul on the sail) is belayed to the sail. Finally, a weather vane used to help steer the ship is attached to the top of the mast.*

The Tapestry leaves us to presume the reason for this crossing. Logically, emissaries are coming to inform William of the recent changes in England.

34.

HIC:NAVIS:ANGLI CA.VENIT.INTER WILLELMI:DV RAM CIS HIC:X NAVES

HIC WILLELM DUX JUSSIT NAVES EDIFICARE

Odon

Odo

Une doloire

A broad axe

Ici le duc Guillaume ordonna qu'on construise des navires

Ce beau bâtiment de pierre à l'architecture alambiquée est un des châteaux ducaux normands. Guillaume y reçoit un messager qu'il désigne du doigt à un ecclésiastique tonsuré, mais habillé en civil, qui est assis près de lui. Tous deux sont de même rang : ils siègent en effet sur des fauteuils de même taille. Qui d'autre serait-ce dans l'entourage du duc qu'Odon, son demi-frère, évêque de Bayeux ? Après avoir délibéré, Guillaume décide de la construction d'une flotte. La présence d'un ouvrier (un maître charpentier ?) tenant une doloire* dans le périmètre même de la salle, indique que l'ordre est exécuté immédiatement.

La construction des bateaux se déroule sous nos yeux. Trois bûcherons abattent des arbres à fût droit à l'aide de haches tenues à deux mains. Un charpentier aplanit avec sa doloire une planche maintenue à la fourche d'un arbre. Au second plan, des bordages* s'amoncellent. Le recours à des bois verts facilite les opérations de fendage des troncs séculaires.

Here Duke William ordered for ships to be built

This fine stone-built edifice, of convoluted architecture, is one of the duke's Norman castles. William receives a messenger whom he points out with his finger to the tonsured clergyman dressed in civilian clothing sitting next to him. They are both of equal rank: indeed, they are sitting on armchairs of the same size. Who else could this be from among the duke's circle but his half-brother Odo, Bishop of Bayeux? After deliberating, William decides to have a fleet built. The presence of a labourer (a master carpenter?) carrying a broad axe within the perimeter of the room indicates that the order is immediately executed.*

The construction of the ships unfolds before our very eyes. Three lumberjacks fell straight-trunked trees using axes held in both hands. A carpenter is using his broad axe to smooth out a plank of wood held in place by the forked branches of a tree. In the background, clinker planks are piled up. The use of unseasoned timber facilitates the splitting of hundred-year-old trees.*

HIC: WILLELM DVX: IVSSIT
NAVES: EDI FICARE:

Le maître charpentier
The master carpenter

Une poulie
A pulley

À mi-distance des coques des bateaux qui finissent d'être assemblées, un maître charpentier se tient debout. Le bras levé, les doigts écartés, il contrôle le tracé du bordé* du bateau supérieur où s'activent deux charpentiers. Celui de gauche manie la doloire* et celui de droite perce un trou avec une tarière*. Les deux charpentiers barbus du bateau inférieur utilisent, à gauche, un marteau à rivets, et à droite, une herminette*.

Ces bateaux effilés appartiennent à la catégorie des esnèques*. Ce nom est plus adapté que celui de drakkar* dont l'usage, bien que largement répandu, est incorrect.

A master carpenter is standing between the hulls of the two ships that are being assembled. His arm is raised and his fingers spread open to control the alignment of the clinker planking* on the upper ship where two carpenters are hard at work. The one on the left is using a broad axe*, whereas the one on the right is drilling a hole with an auger*. The two bearded carpenters working on the lower boat are using, to the left a rivet hammer and, to the right, an adze*.

These slender boats are from the esneque* category. This name is more suitable than drakkar*, the use of which, although widespread, is incorrect.

HIC TRAHUNT NAVES AD MARE

Ici ils tirent les navires vers la mer

La Tapisserie ne précise pas le nom des chantiers navals où les navires ont vu le jour ni le lieu où ils ont été mis à l'eau. Les sources écrites parlent d'un regroupement de la flotte à Dives. Ici, des bateaux désarmés sont attachés à un poteau d'amarrage muni d'un va-et-vient à poulie qui leur permet d'être toujours à flot, emmenés au large à marée haute et ramenés à terre lorsqu'on en a besoin.

Here they drag the ships towards the sea

The Tapestry specifies neither the names of the shipyards where these vessels were built, nor where they were launched. Written sources speak of the fleet being gathered in Dives. Here, the unarmed ships are attached to a mooring pole equipped with an ebb and flow pulley system enabling them to be kept afloat, taken to the high seas at high tide and brought back to shore when needed.

HIC TRAHVNT NAVES ADMA RE

ISTI PORTANT ARMAS AD NAVES ET HIC TRAHUNT CARRUM CUM VINO ET ARMIS

Une cotte de mailles

A coat of mail

Un homme portant un tonneau

A man carrying a cask

Ceux-ci portent les armes à bord des navires et ici ils tirent un chariot chargé de vin et d'armes

La scène s'ouvre sur une petite construction. Introduit-elle un changement de lieu ? La flotte normande n'a-t-elle pas quitté l'estuaire de Dives pour celui de la Somme et le port de Saint-Valéry d'où le départ pour l'Angleterre eut lieu ?

C'est l'heure du chargement des bateaux. On porte à bord les armes et le ravitaillement.

Les cottes de mailles sont lourdes et peu maniables : chacune d'elles, enfilée sur un bâton, est emmenée par deux hommes. Les épées sont rassemblées en faisceaux et maintenues en équilibre sur l'épaule. Les casques sont, soit portés à la main par le nasal, soit suspendus aux barreaux d'un chariot. Les lances sont fichées toutes droites à l'arrière-plan.

Des valets transportent sur l'épaule un tonneau, une outre, et plus loin devant, une besace. Une barrique de vin est posée sur le chariot déjà cité. Il est tracté par un homme ayant passé un harnais en bandoulière sur son corps.

They take weapons aboard the ships and, here, they draw a cart laden with wine and weapons

The scene opens with a small construction. Could it indicate a changed location? Did the Norman fleet not leave the Dives estuary to head for the Somme estuary and the port of Saint-Valéry from where it sailed to England?

The time has come to load the boats. Weapons and supplies are taken on board.

The coats of mail are heavy and difficult to transport: each one is slipped onto a pole and carried by two men. The swords are gathered in bundles and poised on the shoulder. The helmets are either carried in hand by the nasal or hung onto the bars of a cart. Spears are placed upright in the background.

Valets are carrying on their shoulders a cask, a wine skin and, further ahead, a pouch. A barrel of wine is placed on the aforementioned cart. It is being drawn by a man with a harness slung over his shoulder.

ISTI PORTANT ARMAS: ET HIC TRAHUNT: CARRUM CUM UINO: ET ARMIS.

HIC WILLELM DUX IN MAGNO NAVIGIO MARE TRANSIVIT

Guillaume
William

Un timonier
A steersman

Ici le duc Guillaume traversa la mer sur un grand navire

Le quatrième lé* débute ici.

Guillaume, à la tête d'un groupe de cavaliers, s'approche des bateaux qui sont montrés comme s'ils s'étaient déjà éloignés de la terre et naviguaient en pleine mer. L'embarquement eut lieu le 27 septembre 1066 par vent du sud, aux deux premières heures du jusant* et avant le coucher du soleil.

Nous ne savons combien de bateaux, ni combien d'hommes et de chevaux traversèrent la Manche. Wace avance le chiffre de 696 navires ; Baudri de Bourgeuil celui de 3000. Le premier semble plus crédible que le second (à titre de rapprochement, le débarquement du 6 juin 1944 a rassemblé, sur un front de 80 km de côtes normandes, 3000 à 3500 navires et il y eut au plus 5000 navires entre les côtes anglaises et françaises).

Les bateaux normands proviennent de la flotte ducale, de bateaux de pêche ou de commerce réquisitionnés dans tous les ports normands, des bateaux récemment construits par les frères de Guillaume et ses principaux barons.

Here Duke William crossed the sea in a large ship

The fourth length begins here.*

William leads a group of horsemen and heads for the boats which are represented as if they have already left shore to sail the high seas. They boarded on the 27th of September 1066 by southerly winds, in the first two hours of the ebb tide and before sunset.*

We know neither how many boats nor how many men crossed the English Channel. Wace estimated 696 ships; Baudri de Bourgeuil 3,000. The first estimation seems more credible than the second (by means of comparison, the landings on 6th June 1944 reunited 3,000 to 5,000 ships over 80km of coastline and over the entire French and English coasts, there were no more than a total of 5,000 ships).

The Norman ships were from the ducal fleet, together with fishing and trading boats which were requisitioned in all Norman harbours. The fleet was completed by the boats recently built by William's brothers and leading barons.

:IC: VVILLELM: DVX INMAGNO: NAVIGIO: MARE

SCÈNE 38

Une figure de proue
A figurehead

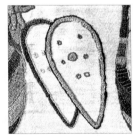

Boucliers accrochés à la proue d'un bateau
Shields attached to the bow of a boat

Le génie de Guillaume fut d'emmener avec lui une armée de cavaliers. Il n'était pas alors d'usage de faire monter des chevaux à bord des navires. Les Vikings les prélevaient sur les populations locales qu'ils attaquaient. Cependant, il y eut un précédent en 1061. Les Normands d'Italie du Sud embarquèrent des chevaux lorsqu'ils partirent à la conquête de la Sicile et leur firent franchir le détroit de Messine, large seulement de quelque 3 kilomètres. L'itinéraire choisi par Guillaume est, quant à lui, long de plus de 120 kilomètres.

Les chevaux sont placés dans les longues embarcations du premier plan, le long des bordages*. Certains semblent hennir, mais l'affolement qu'ils ont dû ressentir en pleine mer n'est pas retranscrit par le dessinateur.

Les qualités graphiques de cette scène font d'elle l'une des plus connues de la Tapisserie. L'artiste a utilisé toute la surface disponible pour suggérer l'ampleur de la flotte. Les petits bateaux du second plan participent à cette impression.

William's genius lay in the fact that he took an army of horsemen with him. At the time, it was not yet customary to board horses onto ships. The Vikings took horses from the local populations they attacked. Yet, there had been a precedent in 1061. The Normans in southern Italy boarded horses for the conquest of Sicily, having them cross the 3km-wide Strait of Messina. William's route was 120km long.

The horses are boarded onto the long embarkations in the foreground alongside the clinker planks. Some seem to be neighing, yet the panic they must have experienced in the high seas is not depicted by the illustrator.*

The graphic quality here is such that it is one of the Tapestry's most renowned scenes. The artist has used all the available space to suggest the great scale of the fleet. The small boats in the background emphasize this impression.

ET VENIT AD PEVENESÆ

Une figure de poupe
A figurehead

Et il vint à Pevensey

Le *Mora*, bateau amiral offert à Guillaume par son épouse Mathilde, se distingue des autres par son mât orné d'un carré marqué d'une croix, lui-même surmonté d'une croix. Ce serait, dit-on, l'étendard de saint Pierre confié par le Pape Alexandre II à Guillaume, ou alors un fanal qui éclaire la nuit et permet aux navires de ne pas se perdre de vue. Une autre particularité du *Mora* est de porter à sa poupe la figure d'un enfant tenant à la main un gonfanon* et sonnant du cor. Enfin, des boucliers ont été posés le long de son plat-bord car aucun cheval n'y a été embarqué.

Les voiles dont les rayures sont ici traitées verticalement, les coques colorées qui se superposent les unes aux autres, font penser que les bateaux de tête naviguent groupés et à vive allure. À l'aube, à proximité des côtes anglaises, ils devront jeter l'ancre pour attendre l'ensemble de la flotte et une marée favorable. Le débarquement se déroule le 28 septembre, entre 8 et 9 heures du matin, sur la côte sud-est, à Pevensey, port gardé par une petite garnison qui sera vite écrasée.

And he came to Pevensey

The Mora, the flagship offered to William by his wife Matilda, can be distinguished from the others thanks to its mast adorned with a crossed square, itself surmounted with a second cross. It is said to be either the standard of St. Peter, entrusted to William by Pope Alexander II, or a lantern to illuminate the night and enable the ships to keep sight of each other. Another particularity of the Mora is the stern figurehead representing a child holding a gonfalon* and sounding a horn. Finally, the shields have been placed along the gunwale since no horses are boarded on this ship.

The sails, represented here with vertical stripes, and the overlapping coloured hulls suggest that the lead ships are grouped together and sailing at high speed. At dawn, they would need to cast anchor near the English coast, then wait for the rest of the fleet and a favourable tide. The landing took place on the 28th of September between 8 and 9 in the morning, on the southeast coast in Pevensey, a port guarded by a small garrison that was quickly crushed.

HIC EXEUNT CABALLI DE NAVIBUS

Des chevaux apeurés
Frightened horses

Ici les chevaux sortent des navires

Guillaume n'a rien laissé au hasard. Il doit savoir que la côte sud n'est plus défendue : Harold, ne croyant plus à la possibilité d'un débarquement normand à l'approche des habituelles tempêtes de l'équinoxe, a envoyé la flotte hiverner à Londres et congédié le *fyrd**. De plus, il doit faire face dans le nord du pays à une invasion norvégienne, fomentée par son frère Tostig et menée par le roi Harald le Sévère.

Guillaume a certainement choisi la lagune de Pevensey de préférence à tout autre endroit parce qu'elle se prête bien aux opérations de débarquement. Le démâtage et la sortie des chevaux du bateau ont tout d'un instantané : une jambe de l'étalon reste dans la coque le temps qu'il assure ses appuis ; le second cheval, par sa crinière hérissée, marque son appréhension. Le gouvernail a été enlevé avant que le navire ait été tiré à terre.

Here the horses leave the ships

William left nothing to chance. He must have known that the south coast was no longer defended: Harold, no longer believing in a Norman landing so close to the usual equinox storms, sent his fleet to hibernate in London and dismissed the fyrd*. Furthermore, he was to face a Norwegian invasion in the north, stirred by his brother Tostig and led by King Harald Hardrada.

William probably chose the Pevensey lagoon rather than many other potential sites for it is particularly propitious to landing operations. Dismasting and the unloading of horses are instantaneous: one of the stallion's legs is still inside the hull as it finds its balance; the second horse's mane is standing on end, indicating its apprehension. The rudder has been removed even before the ship is drawn onto dry land.

ET HIC MILITES FESTINAVERUNT HESTINGA

Un dragon
A dragon

Et ici les soldats se hâtèrent vers Hastings

Tandis que les bateaux sont complètement désarmés, des cavaliers s'élancent vers Hastings.

And here the soldiers rushed towards Hastings

Whilst the ships are being laid up, the horsemen thrust towards Hastings.

UT CIBUM RAPERENTUR

Que porte donc ce personnage ?

What is this character carrying?

Pour se procurer des vivres

Quatre cavaliers au grand galop, revêtus de cottes de mailles, accompagnés de piétons en civil, parcourent la campagne aux alentours de Hastings pour trouver du ravitaillement. On peut se demander ce que sont devenus les vivres embarqués sur la côte picarde. Si la scène a lieu le jour du débarquement, ils n'ont peut-être pas pu être déchargés de navires fermant la marche et éloignés de la plage par suite de la marée montante. Si la scène est postérieure au débarquement, les aliments ont été épuisés au terme de plusieurs repas servis à une armée estimée à sept ou huit mille bouches.

Un boucher lève sa hache pour tuer le bétail (mouton, bœuf, porc) rassemblé par des fourriers* portant une épée à leur ceinture.

Les maisons paysannes du second plan sont construites, pour celle de gauche, en pierre, avec un toit de bardeaux*, et pour celle de droite, en planches posées horizontalement, à la manière scandinave. Elles ont en commun de ne pas avoir de cheminée. La fumée d'un foyer central est donc évacuée par la porte ou par les interstices du toit.

To procure provisions

Four galloping horsemen wearing coats of mail, accompanied by civilians on foot, travel the countryside around Hastings in search of provisions. We can but wonder what has become of the supplies loaded onto the ships on the Picardy coast. If the scene takes place on the day of the landing, perhaps they could not be unloaded from the last ships, distanced from the beach by the rising tide. If the scene takes place after the landings, the supplies must have been exhausted over several meals served to an army estimated at seven to eight thousand mouths.

A butcher raises his axe to kill livestock (mutton, beef, pork) gathered by quartermasters wearing swords on their belts.*

The peasant homes in the background are built – on the left – of stone with a shingle roof and – on the right – with horizontal planks placed in the Scandinavian style. Neither of them has a chimney. The smoke from the central hearth is therefore evacuated through the door or through cracks in the roof.*

HIC EST WADARD

Wadard
Wadard

Ici est Wadard

Le cavalier en armes s'appelle Wadard. Qu'il soit nommément identifié indique que son rôle a été jugé important. Est-il l'intendant ? Est-il dans la mouvance d'Odon ainsi que son nom retrouvé dans des archives permet de le croire ?

Face à lui, un valet, une hache sur l'épaule, tient par la bride un poney bâté.

Here is Wadard

The armed horseman is called Wadard. The fact that he is designated by name indicates that his role is deemed important. Could he be an intendant? Is he within Odo's sphere of influence, as suggested by mention of his name in archives?

The valet standing beside him has an axe on his shoulder and is holding a packsaddled pony.

HIC COQUITUR CARO ET HIC MINISTRAVERUNT MINISTRI

Un cuisinier barbu
A bearded cook

Ici on cuit la viande et les serviteurs servirent

On assiste à la préparation d'un repas. Deux serviteurs suspendent une marmite à des landiers et en font cuire le contenu sur un feu. Au-dessus, des brochettes sont posées sur un gril. Plus loin, un cuisinier barbu retire à l'aide d'une pince la nourriture qui a cuit sur un fourneau de campagne. Enfin, devant un édifice qui marque à la fois le passage dans un autre espace et la fin du quatrième lé*, des brochettes de viande passent de main en main avant d'être servies à des soldats.

Here they cook meat and the servants serve

Here we can see the meal being prepared. Two servants are hanging a cooking pot on andirons and are cooking its contents over the fire. Skewers are placed on a grill above. Further right, a bearded cook is using tongs to remove the food he has cooked on a country stove. Finally, in front of an edifice that marks both the arrival of a new scene and the end of the fourth length, meat skewers are being passed from hand to hand before being served to soldiers.*

41   42.

HIC:EST:VVADARD: HIC:COQVITVR:CARO   ET HIC:MINISTRAVERVN   HIC

MINISTRI

HIC FECERUNT PRANDIUM

Guillaume
William

Ici ils prirent le repas

La couture qui unit les quatrième et cinquième lés* est assez grossière. Elle est visible à droite de la première tour.

Un véritable festin est servi. Les soldats déjeunent sur des boucliers posés sur des tréteaux. Ils vont se rassasier de volailles qu'ils mangeront avec leurs doigts. L'usage de la fourchette est inconnu. Un des convives porte dans le creux de son bras un pot à couvercle. Un homme sonne du cor pour appeler les retardataires.

Here they took the meal

The seam between the fourth and the fifth length is rather rough. It can be seen on the right as from the first tower.*

A genuine feast is served. The soldiers eat lunch on their shields which are placed on trestles. They satisfy their appetites with chicken which they eat with their fingers. The use of a fork is as yet unknown. One of the diners is carrying a covered pot in his arm. A man is sounding a horn to call the latecomers.

ET HIC EPISCOPUS CIBU(M) ET POTU(M) BENEDICIT

Odon
Odo

Et ici l'évêque bénit la nourriture et la boisson

Une table d'honneur est dressée en fer à cheval. Son dessin évoque d'autant plus la représentation de la Cène qu'un évêque bénit le repas composé de poissons. La table est chargée d'écuelles et de couteaux. Un serviteur s'incline devant les personnages dont on suppute l'identité. Au centre, Odon. Près de lui, Guillaume, à demi-caché par un vieillard levant une coupe de vin. Ce barbu serait-il Roger de Beaumont, surnommé Roger à la Barbe ? L'avant-dernier convive, le bras tendu, attire l'attention sur la séquence suivante.

And here the bishop blesses the food and drink

A table of honour is set in the shape of a horseshoe. This illustration is all the more evocative of the Last Supper via the presence of a bishop blessing the meal consisting of fish. The table is laden with bowls and knives. A servant is bending in front of the characters whose identity we are left to presume. Odo in the centre. Next to him, William, partly hidden by an old man raising his cup of wine. Could this bearded man be Roger de Beaumont, nicknamed "The Bearded"? The second-last diner's arm is outstretched, drawing our attention towards the following scene.

43. 44.

hIC FECERVN: PRANDIVM: ET hIC EPISCOPVS:CIBV:ET ODO:EPS: ROTBER

POTV: BE NE DIC IT

WILLELM:

ODO EP(ISCOPU)S - ROTBERT - WILLELM

L'évêque Odon - Robert - Guillaume

Sitôt le repas terminé, Guillaume tient conseil avec ses deux demi-frères, Odon, évêque de Bayeux et Robert, comte de Mortain. S'ils partagent le même coussin, Guillaume est placé au centre et porte son épée dressée, ce qui symbolise son rôle de décideur. Robert retire son épée de son fourreau comme s'il intervenait dans la scène suivante.

Bishop Odo - Robert - William

As soon as the meal is over, William holds a meeting with his half-brothers, Odo, Bishop of Bayeux and Robert, Count of Mortain. Although they are sharing the same cushion, William is placed in the centre and is holding his sword upright, symbolising his role as the decision maker. Robert is pulling his sword out of its sheath as if to intervene in the following scene.

Odon
Odo

ISTE JUSSIT UT FODERETUR CASTELLUM AT HESTENGA CEASTRA

Celui-ci ordonne de faire les terrassements d'un château dans le camp de Hastings

Les ordres sont donnés à des terrassiers par deux personnages habillés comme des seigneurs et tenant à la main un gonfanon*. Tous deux pourraient figurer Robert.

Deux terrassiers se battent à coups de pelles. Les ouvriers au travail édifient avec des pelles et des pioches une motte* aux bandes colorées laissant deviner les différentes couches de terre mélangée à des cailloux sur lesquelles repose une fortification en bois construite avec des matériaux apportés de Normandie. Il était vital de disposer d'une tête de pont pour la conquête.

He ordered the earthwork of a castle to be done in the camp at Hastings

Orders are given to diggers by two characters dressed as seigneurs and holding gonfalons*. Either of them could depict Robert.

Two other diggers are fighting with spades. Using spades and pickaxes, the labourers at work are forming a mound* with coloured bands suggesting the different layers of earth mixed with stones upon which the wooden fortification is built using material brought from Normandy. It was vital that they establish a bridgehead for the conquest.

Robert de Mortain ?
Robert of Mortain ?

ODO:EPS: ROTBERT:ISTE:IUSSIT:UT:FODERETUR:CASTELLVM:AT:HESTENGA   CEASTRA

WILLELM:

HIC NUNTIATUM EST WILLELMO DE HAROLD

Un étendard
A standard

Ici on apporte à Guillaume des nouvelles de Harold

Siégeant à l'intérieur d'une demeure de belle facture, Guillaume reçoit un messager identifié par les sources comme étant Robert Fils Wimarch. Il vient lui relater la victoire de Harold sur les troupes norvégiennes à Stamford Bridge, marquée par la mort du roi Harald et de son allié Tostig Godwinson, et aussi la marche forcée de l'armée anglo-saxonne vers Londres où elle va être réorganisée avant d'affronter l'armée normande.

Les oiseaux à demi couchés de la frise supérieure annoncent les malheurs imminents.

Here William is brought news of Harold

Seated inside a fine dwelling, William receives a messenger, identified by sources as being Robert Fils Wimarch. He has come to inform him of Harold's victory over the Norwegian troops at Stamford Bridge, marked by the death of King Harald and his ally Tostig Godwinson, and of the Anglo-Saxon army's forced march towards London where it is to be reorganised to challenge the Norman army.

The half-lying birds on the upper frieze herald imminent misfortune.

HIC DOMUS INCENDITUR

Une des rares femmes de la Tapisserie
One of the rare women on the Tapestry

Ici une maison est incendiée

Afin de faciliter le mouvement des troupes dans la région de Hastings, ordre est donné d'incendier tout ce qui en gênerait le passage. D'un luxueux manoir au toit de bardeaux* en flammes sort une dame tenant son enfant par la main. Ils sont le symbole de la veuve et de l'orphelin. C'est la troisième et dernière femme des scènes centrales de la Tapisserie. Comme Ælgyve et Edith vues auparavant, elle porte un voile et une robe à larges manches.

Here a house is burned

In order to facilitate troop movements in the region of Hastings, orders are given to burn any obstacles in their way. A women holding her child's hand leaves a blazing luxurious manor with a shingle roof. They symbolise the widow and the orphan. She is the third and last woman on the Tapestry's central panel scenes. Just like Ælfgifu and Edith, who appear in previous scenes, she is wearing a veil and a wide-sleeved dress.*

46.   47.

STENGA CEASTRA   HIC:NVNTIATVM:EST: hIC DOMVS:IN
WILLELMO DE hAROLD: CEN DITVR:

HIC MILITES EXIERUNT DE HESTENGA

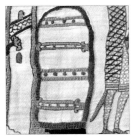

Une porte à pentures
A strap-hinged door

La ramure d'un arbre
The foliage of a tree

Ici les chevaliers sortirent de Hastings

Sur la gauche, un ensemble d'importants bâtiments évoque les constructions de la ville de Hastings. Sur la droite, un bouquet de trois arbres aux troncs noueux et à la ramure alambiquée clôt une scène particulièrement dépouillée. Notre attention est focalisée sur le chevalier élancé tournant le dos à la porte aux lourdes pentures* ouvragées par laquelle il vient de sortir. On ne peut hésiter sur son identité : c'est Guillaume ! Son corps est complètement protégé. Il a enfilé une cotte de mailles* qui s'arrête à mi-bras (on voit les manches du bliaud* dépasser) et qui descend sous les genoux. Les jambes sont couvertes de jambières en mailles. La tête est revêtue d'un camail* sur lequel le casque à nasal* a été posé. Face à lui, un écuyer tient par la bride un étalon en érection. Il vient d'Espagne et a été offert à Guillaume par Alphonse VI de Léon. De la selle pend une étrivière*. Par erreur, l'étrier a complètement été brodé.

Guillaume se prépare donc à combattre à l'aube du 14 octobre 1066.

Here the horsemen left Hastings

On the left, an important group of buildings is evocative of the constructions of the town of Hastings. On the right, a bouquet of three trees with knotty trunks and convoluted foliage concludes this particularly uncluttered scene. Our attention is drawn to the slender horseman who is turning his back on the door with heavy strap hinges* he has just come through. There is no doubt as to his identity: he is William! His body is totally protected. He is wearing a coat of mail* covering his upper arms (only the sleeves of his bliaud* are visible) and down to below his knees. His legs are covered with mail leggings. His head is protected with a hood of mail* over which his nasal helmet* is worn. In front of him, an equerry is holding an erect stallion. It comes from Spain and was offered to William by Alfonso VI, King of Leon. A stirrup leather* is hanging from the saddle. The stirrup has mistakenly been completely embroidered.

William is therefore preparing to fight on the dawn of the 14th of October 1066.

HIC MILITES EXIERUNT DE HESTENGA ET VENERUNT

ET VENERUNT AD PRELIUM CONTRA HAROLDUM REGE(M)

Les deux femmes dénudées
de la Tapisserie

*The Tapestry's two naked
women*

Et ils allèrent au combat contre le roi Harold

La cavalerie normande s'ébranle, précédée de porte-étendards. Au fil de la toile, on la voit progressivement accélérer son allure et tendre petit à petit ses lances vers l'avant. La scène est de toute beauté. L'impression de perspective est habilement donnée par un dessin non réaliste des sujets mis en mouvement : les huit chevaux qui apparaissent en premier sont dotés de vingt-cinq jambes et de dix cavaliers ! Le jeu des couleurs achève de donner la profondeur et la puissance voulues au tableau.

La bordure supérieure donne la place à deux scènes érotiques. Les restaurations qui ont été faites au XIXᵉ siècle soulignent que les hommes sont des Anglais en raison de leurs importantes moustaches. Les femmes ont les bras grands ouverts ; accueillent-elles de bon gré des guerriers dont l'un porte une hache imposante ? La première ne paraît pas être victime d'un viol ; la seconde a une attitude plutôt suppliante.

La limite entre le cinquième et le sixième lé* passe à quelques centimètres à droite du deuxième groupe de personnages nus.

And they went into combat against King Harold

The Norman cavalry sets off, preceded by standard bearers. As the canvas continues, we can see them progressively accelerating their pace and gradually aiming their spears ahead. This scene is splendid. The perspective is cleverly achieved by the unrealistic representation of the subjects in motion: the first eight horses have a total of twenty-five legs and ten horsemen! The use of colours complete the impression of depth and power given to the section.

The upper frieze includes two erotic scenes. Restorations conducted in the 19th century highlight that the men are English due to their large moustaches. The women are open-armed; could they be willingly welcoming these warriors, one of whom is carrying a daunting axe? The first does not appear to be victim to rape; the second adopts a more imploring attitude.

The border between the fifth and sixth lengths is a few centimetres to the right of the second group of naked characters.*

48.

ET·VENERVNT AD PRELIVM: CON

HIC WILLELM DUX INTERROGAT VITAL (...)

Odon
Odo

Ici le duc Guillaume demande à Vital (s'il a vu l'armée de Harold)

Les porte-étendards tentent de rattraper Guillaume et Odon. Ce dernier, tout évêque qu'il soit, est en tenue de combattant. Il porte une masse d'armes à trois têtes avec laquelle il se défendra, sans faire couler le sang, puisque cette action lui est interdite par son état de prélat. Le duc, quant à lui, porte un bâton de commandement. Il s'adresse à Vital, un Normand de l'entourage d'Odon auquel la fonction d'éclaireur a été dévolue.

À l'extrémité gauche de la bordure supérieure, deux arbres sont ployés jusqu'au sol.

Here Duke William asks Vital (if he has seen Harold's army)

The standard bearers try to catch up with William and Odo. Despite the fact that he is a bishop, the latter is in combat dress. He is carrying a three-headed mace with which he will defend himself without shedding blood for his status as a prelate forbids him to do so. The duke is in turn carrying a rod of command. He speaks to Vital, a Norman from Odo's circle entrusted to act as a scout.

On the left-hand extremity of the upper frieze, two trees are bent down to the ground.

Guillaume
William

CON·TRA:HAROL·DVM·REGE: HIC: V VILLELM:DVX INTERROGAT·VITAL: ASI

HIC WILLELM DUX INTERROGAT VITAL SI VIDISSET EXERCITU(M) HAROLDI

Ici le duc Guillaume demande à Vital s'il a vu l'armée de Harold

Vital se présente devant Guillaume sur un cheval qui vient au grand galop, la queue encore à l'horizontale. Il désigne derrière lui deux cavaliers qui chevauchent le long d'une colline, sans doute celle de Telham, joliment représentée par des volutes brodées au point de tige. Le premier chevalier pointe son bouclier vers l'avant-garde anglaise qu'il vient de repérer.

Le bestiaire de la bordure inférieure inclut une genette* face à un âne.

Here Duke William asks Vital if he has seen Harold's army

Vital comes before William on a galloping horse whose tail is still horizontal. Behind him, he points to two horsemen riding over a hill, probably Telham hill, beautifully represented with stem stitch embroidered curls. The first horseman is pointing his shield towards the English vanguard which he has just spotted.

The bestiary on the lower frieze includes a genet opposite a donkey.*

Une genette
A genet

ISTE NUNTIAT HAROLDUM REGE(M) DE EXERCITU WILLELMI DUCIS

Harold

Harold

Celui-ci annonce au roi Harold l'armée du duc Guillaume

Le bouquet d'arbres sur le flanc de la colline ouvre avec grand art une courte scène qui se situe du côté des positions anglaises, à proximité de la colline de Senlac. Une sentinelle anglaise, la main en visière pour se protéger du soleil matinal qui l'éblouit, guette l'arrivée de l'ennemi. Par un gracieux mouvement de virevolte, elle court vers Harold le prévenir de l'avancée des troupes normandes. Le roi, corps tendu vers l'avant, visage barré d'une longue moustache, lance en main, apparaît sur le seul cheval qui nous soit montré dans son camp. À partir de ce point précis, tous les combattants anglais seront représentés comme des fantassins.

He announces Duke William's army to King Harold

The bouquet of trees on the hillside offers a grand entry to this short scene located alongside the English positions near Senlac hill. An English sentry watches out for the approaching enemy as he holds his hand on his forehead to protect against the dazzling morning sun. In a graceful pirouette, he runs towards Harold to inform him of the advancing Norman troops. The king, leaning forward, his face adorned with a long moustache, spear in hand, appears on the only horse to be represented from his camp. From this point on, all the English combatants are represented as foot soldiers.

ISTE NVNTIAT HAROLDVM REGE DE EXERCITV

VVILLELMI DVCIS

HIC WILLELM·DV

HIC WILLELM DUX ALLOQUITUR SUIS MILITIBUS UT PREPARARENT SE VIRILITER…

Un pégase ou cheval ailé

A pegasus or winged horse

Un animal fantastique

A fantasy animal

Ici le duc Guillaume harangue ses chevaliers pour qu'ils se préparent courageusement…

La longue scène de bataille est scindée en plusieurs parties.

Guillaume, premier cavalier à apparaître, bâton de commandement en main, s'adresse à un chevalier à demi tourné vers lui, alors que la longue file de cavaliers prend le galop pour parcourir le terrain séparant les deux armées.

Avant d'affronter l'ennemi, nous savons que l'armée normande a assisté à une messe célébrée par les membres du clergé qui accompagnaient l'armée. Guillaume, comme le rapporte ici le texte latin, a prononcé une harangue dans laquelle il a invité ses troupes à mener le combat contre les Anglais avec courage et sagesse. Avec éloquence, il leur assura que « vaincus, il n'y aurait pour eux ni espoir ni retraite possible ; vainqueurs, la gloire et les trésors de l'Angleterre seraient à eux ».

Les animaux ailés des frises intriguent : en haut, deux « Pégase* » et, en bas, deux monstres à la tête de carnassiers, au corps couvert d'écailles, aux pattes griffues.

Here Duke William harangues his horsemen to bravely prepare themselves

The long battle scene is divided into several sections.

William, the first horseman to appear, rod of command in hand, speaks to another horseman partly turned towards him, whilst the long line of cavalry gallops off across the terrain that separates the two armies.

Before facing the enemy, we know that the Norman army celebrated mass given by the members of the clergy that had accompanied the army. William, as indicated here in the Latin text, delivers a harangue in which he invites his troops to combat the English with courage and wisdom. He eloquently assures them that, "vanquished, they will have neither hope nor possible retreat; victors, glory and the treasures of England will be theirs."

The winged animals on the friezes are intriguing: above, two "Pegasi" and, below, two monsters with flesh-eating heads, bodies covered with scales and clawed paws.*

HIC WILLELM DUX ALLOQVITVR SVIS MILITIBVS VT PREPARA RENSE VI

… SE VIRILITER ET SAPIENTER AD PRELIUM…

… courageusement et avec sagesse au combat…

L'allure des étalons s'est encore accélérée. Leurs cavaliers bénéficient d'un équipement presque intégral, hormis les jambières dont tous ne sont pas dotés. L'avant-garde arbore les étendards. Elle est précédée d'archers portant autour du cou ou à la ceinture un carquois dont dépassent des flèches. Ils bandent devant leur poitrine un arc long d'1,20 mètre. Seul un archer a revêtu une cotte de mailles. L'archer du second plan a mis des braies* renforcées de lanières de cuir.

Les bordures méritent l'attention. En haut, deux équidés sont bizarrement reliés par une bride passée au niveau de leur encolure. En bas, deux animaux ailés fabuleux, qui ressemblent vaguement à des griffons*, précèdent deux carnassiers, leur proie dans la gueule. Ils annoncent le début du carnage.

… bravely and with wisdom in combat…

The stallions have once more accelerated their pace. The horsemen are equipped with virtually total protection, apart from leggings which are not worn by all of them. The vanguard is carrying the standards. It is preceded by archers who are carrying quivers filled with arrows round their necks or on their belts. Before their chests, they are tautening their 1.2 metre-long bows. Only one archer is wearing a coat of mail. The archer in the background is wearing breeches* reinforced with leather strips.

The borders are worthy of attention. Above, two equidae are strangely attached together with a bridle round their necks. Below, two mythical winged animals, vaguely reminiscent of griffins*, precede two flesh eaters with their prey between their jaws. They announce the start of the carnage.

Un archer aux braies couvertes de cuir

An archer with leather-covered breeches

Un carnassier avec une proie dans la gueule

A flesh eater with prey between its jaws

... CONTRA ANGLORUM EXERCITU(M)...

... Contre l'armée des Anglais...

Au bas de la colline tenue par Harold, dans un espace limité par un marécage, l'armée de Guillaume était formée de trois lignes qui se déployaient sur 800 à 1000 mètres de large avec, en tête, les archers ; au milieu, les fantassins ; derrière les cavaliers. La Tapisserie ignore les fantassins. Les archers bandent leurs arcs tout en avançant à grandes enjambées. La cavalerie occupe ici tout l'espace, sur deux rangées, et démontre sa force.

La colonne centrale était commandée par Guillaume lui-même, assisté de ses demi-frères, Odon et Robert. L'aile gauche, composée essentiellement de ses alliés bretons, avait à sa tête Alain de Bretagne. L'aile droite, comprenant des Flamands et des Français, était sous les ordres de Robert de Beaumont.

Les oiseaux des frises agitent leurs ailes ou tombent même à la renverse lorsque le premier mort, transpercé d'une lance, gît sur le sol.

Le début du septième lé* est estompé par les broderies. On devine la couture sur une ligne passant dans le vide créé entre les mots « *Anglorum* » et « *exercitu* ».

... Against the English army...

At the foot of the hill controlled by Harold, within an area surrounded by marshes, William's army was formed of three lines stretching out over a width of 800 to 1,000 metres. The archers formed the front line with the foot soldiers in the middle and the horsemen to the rear. The Tapestry ignores the foot soldiers. The archers are tautening their bows as they stride forward. Here, the cavalry occupies the entire space, in two rows, demonstrating its great strength.

The central column was commanded by William in person, assisted by Odo and Robert, his half-brothers. The left wing, essentially comprised of Bretons, was led by Alan of Brittany. The right wing, comprised of Flemish and French troops, was commanded by Robert de Beaumont.

The birds on the friezes flap their wings or even fall over when the first dead soldier, impaled by a spear, falls to the ground.

The start of the seventh length* is concealed by the embroidery. We can only just make out the stitching on a line that runs down the space between the words "Anglorum" and "exercitu".

Le premier mort de la bataille
The first death on the battlefield

Un oiseau tombé à la renverse
A bird falling over backwards

CON·RA·AN GLORVM EXER·ACI·V·

SCÈNE 51

Un archer anglais
An English archer

Vers 9 heures, les Normands lancent l'offensive contre les *housecarles** placés en première ligne par Harold. Ce corps d'élite résiste aux attaques par la tactique d'un mur de boucliers de près d'un mètre de haut. Il est si compact qu'un homme mort, dit-on, restait debout, n'ayant pas la place de tomber entre ses compagnons.

Un seul archer se détache du camp anglais, signe avéré que les effectifs en archers de l'armée anglaise étaient minces. Cela ne sera pas sans poser de problèmes à l'armée normande. Il était d'usage que les archers de chaque camp ramassent les flèches envoyées par l'ennemi et les visent ensuite avec elles. Les échanges ne pouvant perdurer du fait du nombre restreint de tirs anglais, les opérations menées par les archers normands furent de courte durée. Ils ne pouvaient en effet aller se réapprovisionner à l'arrière que lors de pauses.

L'étude des boucliers illustre bien ce propos. Ceux du premier groupe sont criblés de flèches barbelées, alors que ceux du second groupe sont percés de javelots.

Les morts du champ de bataille occupent à présent toute la frise inférieure.

At around 9 in the morning, the Normans launch their attack on the housecarls*, which Harold has positioned on the front line. This elite corps resists the attacks by tactically creating a wall of shields almost one metre high. It is so compact that it is said that even a dead man remained upright, for there was not enough space between him and his companions for him to fall.

Only one archer is represented in the English camp, indicating the small number of archers in the English army. This was to pose a problem for the Norman army. It was commonplace that the archers from each camp gather enemy arrows to reuse them in the opposite direction. The exchange could not last long due to the limited firing by the English; hence the short-lived Norman archers' intervention. They could only go to the rear to collect new arrows during periods of rest.

Study of the shields illustrates this point. Those belonging to the first group are riddled with barbed arrows, whereas those belonging to the second group are pierced with javelins.

The entire lower frieze is now occupied by the dead on the battlefield.

SCÈNE 51
(FIN DE LA SCÈNE - END OF THE SCENE)
SCÈNE 52
(1ᵉʳ TABLEAU - 1ST SECTION)

Un bouclier en amande
An almond-shaped shield

Un bouclier rond
A round shield

Les cavaliers normands attaquent de tous les côtés à la fois, allant à contre courant si besoin pour harceler les Anglais. On comprend que, par convention, les Normands sont représentés à cheval et les Anglais à pied. On ne pourrait guère identifier sinon les belligérants car leurs tenues sont identiques, mis à part la grande hache héritée des Danois que certains *housecarles** manient à deux mains.

Il arrive aussi qu'un bouclier rond soit dessiné, muni en son centre d'un motif saillant, le *umbo*. On en trouve un exemple dans la frise inférieure, à l'extrême droite de cette scène. Néanmoins, le bouclier couramment figuré sur la Tapisserie est un modèle en amande qui avait été adopté par les Normands. Ces boucliers, quelle que soit leur forme, étaient en bois de tilleul, recouverts de cuir et renforcés de métal sur leur pourtour. Leur décor peint n'est pas héraldique mais peut certainement aider à l'identification du combattant.

*The Norman horsemen attack simultaneously on all sides, even counter current if needed to harry the English. We understand, by convention, that the Normans are represented on horseback and the English on foot. Otherwise, it would barely be possible to distinguish the belligerents for their attire is identical, apart from the axe of Danish origin held in both hands by the housecarls**.*

Certain shields represented on the Tapestry are round, with a salient motif in the centre, referred to as the umbo. To the extreme right of this scene, there is an example of this type of shield on the lower frieze. Yet, the most commonly depicted is the almond-shape shield used by the Normans. Whatever their shape, these shields were made of basswood and covered with leather, their edges reinforced with metal. Their painted decoration is not heraldic but certainly helps to identify the combatants.

HIC CECI DERV

HIC CECIDERUNT LEWINE ET GYRÐ FRATRES HAROLDI REGIS

Le Ð (D barré)
The Ð (a D scored through)

Ici tombèrent Leofwine et Gyrth frères du roi Harold

La Tapisserie ignore les noms des hommes morts au combat, sauf ceux des frères Godwinson. Au contraire de Tostig, qui s'était rebellé contre Harold et avait fomenté le débarquement norvégien de septembre 1066, Leofwine et Gyrth sont restés fidèles à Harold bien que Gyrth ait tenté de l'empêcher de livrer bataille. En effet, il faisait valoir que Harold serait châtié par Dieu pour avoir violé le serment prêté à Guillaume.

Leofwine et Gyrth sont certainement les deux fantassins de grande taille encadrés par des cavaliers normands. Ils manient, pour l'un, une hache et, pour l'autre, une lance avec laquelle il transperce un cavalier qui lui déchire le visage simultanément.

Le texte latin écrit le prénom Gyrth avec un « Ð » qui correspond au son du « th » anglais. Cette graphie est l'un des indices selon lesquels la Tapisserie a été réalisée en Angleterre (il y a ici et là d'autres recours à des caractères anglo-saxons ou à des termes issus du vieil anglais).

Here fell Leofwine and Gyrth, King Harold's brothers

The Tapestry ignores the names of the men who fell in combat, with the exception of the Godwinson brothers. In contrast with Tostig, who had rebelled against Harold, stirring the Norwegian landing in September 1066, Leofwine and Gyrth remained loyal to Harold, even if Gyrth had tried to prevent him from waging battle. Indeed, he claimed that Harold would be chastened by God for having broken the oath made to William.

Leofwine and Gyrth are very probably the two tall foot soldiers surrounded by Norman horsemen. One is armed with an axe, the other with a spear with which he impales a horseman who, simultaneously, cuts his face.

In the Latin text, Gyrth is written with a "Ð" which signifies the English "th" sound. This is one of the clues which lead us to believe that the Tapestry was produced in England (other Anglo-Saxon characters or Old English terms can be seen here and there).

HIC CECI---DERVNT LEVVIN ET GYRD FRATRES

HIC CECIDERUNT LEWINE ET GYRÐ FRATRES HAROLDI REGIS

Une hache de combat

A battle axe

Si la Tapisserie rapporte les faits avec exactitude, la mort des frères de Harold serait survenue le matin. Elle est suivie d'un début de mêlée sanglante, mettant aux prises des cavaliers normands isolés, confrontés à plusieurs fantassins anglais. Un porte-étendard qui a trouvé la mort a laissé tomber au sol sa bannière de forme triangulaire. Un peu plus à droite, le fantassin qui s'apprête à fendre la tête d'un cheval avec sa hache, est lui-même dangereusement menacé par le fer d'une autre hache, dessiné comme en suspension après qu'il a été sectionné de son manche. La violence des chocs est telle que des épées se rompent. Deux d'entre elles sont reléguées dans la bordure inférieure.

If the Tapestry accurately relates events, Harold's brothers were killed in the morning. Their death is followed by a bloody mêlée, engaging the isolated Norman horsemen, now faced with several English foot soldiers. A killed standard bearer has dropped his triangular banner on the ground. Further right, the foot soldier who is preparing to split open a horse's head with his axe is, in turn, dangerously threatened by the blade of another axe, represented as if in flight after its handle has been broken. The violence of the shock is such that swords are shattered. Two of them are relegated to the lower frieze.

HIC CECIDERUNT SIMUL ANGLI ET FRANCI IN PRELIO

Le cheval bleu
The blue horse

Ici les Anglais et les Français tombèrent ensemble au combat

La phrase latine rend hommage aux combattants des deux camps. Le mot *Franci* (Français) désigne tous les participants à l'invasion, qu'ils soient Normands, Bretons, Manceaux, Angevins, Poitevins, Flamands ou originaires d'autres régions françaises.

La bataille fait rage. Les Anglais occupent une position favorable au sommet d'un monticule, *hillock* en anglais, terme qui désigne encore aujourd'hui cet endroit. Ils repoussent les assauts des Français dont les chevaux s'empalent sur les pieux dont le fossé a été hérissé, ou chutent, entraînés par leur élan stoppé net. Un cheval bleu se rompt les cervicales. À sa droite, un cavalier vide les étriers sous l'action d'un Anglais tirant sur la sangle de sa selle. Juste au-dessous, un cheval blessé, ou possiblement mort, se mêle aux victimes humaines.

Ce passage correspond à la déroute de l'aile gauche bretonne poursuivie par le *fyrd*★, constitué de paysans anglais réquisitionnés. La confusion gagne alors le centre tenu par les Normands.

Here the English and the French fell together in combat

The Latin phrase pays homage to combatants from both camps. The word Franci *(French) designates all participants in the invasion, be they Normans, Bretons, Manceaux, Angevins, Poitevins, Flemish or from other French regions.*

The battle is raging. The English occupy a favourable position at the top of the Hillock, a term still used to this day to designate the spot. They drive back the French attacks, the Norman horses are impaled on the stakes upon which the ditch has been encircled, or fall, stopped instantly in their stride. A blue horse breaks its neck. To its right, a Norman falls from his horse after an English soldier pulls on the strap of its saddle. Immediately underneath, a wounded or possibly dead horse is represented among the human victims.

This section depicts the routed Breton left wing, pursued by the fyrd★, *comprised of requisitioned English peasants. Confusion then begins to reign in the centre, held by the Normans.*

Un paysan anglais
An English peasant

53

CADERVNT · SIMVL · ANGLI · ET · FRANCI · IN · PREL

HIC ODO EP(ISCOPU)S BACULU(M) TENENS CONFORTAT PUEROS

Odon
Odo

Ici l'évêque Odon tenant le bâton encourage les jeunes (combattants)

Guillaume lance vers midi une contre-attaque de cavalerie pour briser les lignes anglaises. Odon, selon la Tapisserie, prend part à la bataille. Revêtu d'une broigne* de cuir, brandissant un bâton de commandement, il arrête les fuyards et entraîne les cavaliers vers le front où leur présence est indispensable. S'il les encourage, c'est que le bruit a couru dans les rangs que Guillaume serait blessé ou mort. En fait, seule sa monture a été tuée.

Le cortège des morts et des agonisants de la bordure inférieure va bientôt s'arrêter quelque temps. Un soldat tente de retirer de sa poitrine la lance qu'il n'a su éviter en protégeant mal son corps avec son bouclier déjà perforé par d'autres traits.

Here Bishop Odo, holding the rod, encourages the young (combatants)

At around midday, William launches a counter-attack by the cavalry to break through the English lines. According to the Tapestry, Odo takes part in the battle. Dressed in leather ring armour, brandishing a rod of command, he stops the runaways and urges the horsemen towards the front, where their presence is essential. If he is encouraging them, it is because a rumour has spread amidst the ranks that William is wounded or dead. In truth, only his horse has been killed.*

The cortege of dead and agonising soldiers on the lower frieze is stopped for a while. One soldier tries to remove from his chest a spear he failed to avoid due to the poor body protection offered by his shield riddled with arrow holes.

Un soldat blessé
A wounded soldier

HIC EST WILLEL(M) DUX

Ici est le duc Guillaume

Guillaume
William

Guillaume se dresse sur ses étriers, le buste à demi tourné vers l'arrière. Il lève son casque afin d'être reconnu de ses hommes. Le cavalier qui le précède attire l'attention sur le duc pour confirmer qu'il est bien vivant.

Des éléments de la bande centrale (une épée, un bâton de commandement et un étendard) empiètent sur la bordure supérieure.

Quant à la bordure inférieure, elle est remplie d'archers qui, en rangs serrés, soutiennent l'attaque de la cavalerie normande de leurs tirs nourris. On les retrouve sur la scène suivante fichant leurs flèches dans les boucliers anglais.

Here is Duke William

William props himself up on his stirrups, his chest partly turned to the rear. He raises his helmet so as to be recognised by his men. The horseman in front of him draws attention to the duke to confirm that he is still alive.

Features from the central panel (a sword, a rod of command and a standard) overlap onto the upper frieze.

The lower frieze is filled with archers who, in serried ranks, cover the Norman cavalry attack with their sustained fire. They can be seen on the following scene driving their arrows into the English shields.

E(USTA)TIUS

Eustache

Eustache ?
Eustace?

Des quelques lettres subsistant dans la frise supérieure autour d'une déchirure, on a voulu voir le nom d'Eustache et l'appliquer au personnage tenant l'étendard. Rien n'est moins sûr. La première gravure connue de ce passage date de 1730. Elle ne fait pas mention du « E » initial qui a été restitué au XIXᵉ siècle.

Si Eustache il y a, ce serait Eustache de Boulogne, surnommé Eustache aux Gernons en raison de sa longue moustache.

Eustace

Of the few remaining letters round a tear in the upper frieze, the name of Eustace is presumed and believed to belong to the character carrying the standard. This is highly doubtful. The first known engraving of this section dates from 1730. It makes no mention of the initial "E" which was recreated in the 19th century.

If indeed there is an Eustace, then he must be Eustace, Count of Boulogne, nicknamed Eustace aux Gernons because of his long moustache.

HIC FRANCI PUGNANT

Un archer
An archer

Ici les Français combattent

Les cavaliers chargent à présent, leurs lances pointées vers les *housecarles**. Ils tendent leur bras droit vers l'arrière de leur corps cambré sur la selle, afin de donner à leur projectile le plus de force possible. Longues d'environ 3 mètres, les lances se terminent par des pointes en forme d'hameçon qui percent les corps insuffisamment protégés ou se frayent un chemin entre les mailles. Le premier Français à se confronter à un fantassin anglais s'est déjà défait de sa lance et manie l'épée, arme de corps à corps. Il se penche tellement vers l'avant que son tronc épouse l'encolure de sa monture.

À l'aplomb des deux points séparant « *Hic* » et « *Franci* », on devine, en partie dissimulée sous la croupe d'un cheval, la couture unissant le septième au huitième lé*.

Here the French fight

*The cavalry is now charging, their spears pointing towards the housecarls**. Their arms are stretched out behind their bodies which are arched on their saddles in order to give maximum thrust to their projectiles. Their spears are around 3 metres long and are tipped with spikes in the form of fish hooks, which penetrate the insufficiently protected bodies or make their way through the mail. The first French soldier to challenge an English foot soldier has already thrown his spear and resorts to his sword, in hand-to-hand combat. He is leaning forward such that his body moulds the neck of his mount.*

*Under the colon separating the words "Hic" and "Franci", one can almost make out, under the croup of a horse, the seam reuniting the seventh and eighth lengths**.*

ET CECIDERUNT QUI ERANT CUM HAROLDO

Une selle
A saddle

Un soldat qui va mourir
A soldier about to die

Et ceux qui étaient avec Harold tombèrent

Le cavalier isolé sur la droite est en fâcheuse posture. Il a glissé par-dessus le pommeau de sa selle et il repose sur le garrot de son cheval dont le corps s'arqueboute de souffrance. Ses jambes semblent toucher terre. Il n'est pas pour autant de grande taille. Ce sont les chevaux qui sont de petite taille : de 1,50 m à 1,60 m. environ.

Détaillons le harnachement du cheval. Une selle, sans doute en bois de hêtre, est posée sur un tapis dont on distingue les franges. L'arçon, partie centrale de la selle, est recouvert de cuir. À l'avant, un pommeau* proéminent et, à l'arrière, un trousic* assez relevé sont censés assurer l'assise du cavalier lors d'un choc. Une étrivière* en cuir fixée à l'arçon se termine par un étrier de forme triangulaire dans lequel le cavalier glisse ses pieds portant des éperons à une pointe. Une rêne est attachée à la commissure des lèvres du cheval.

À l'extrême droite, un combattant anglais désarmé est sur le point d'être décapité. Il ouvre les mains en un geste de supplication.

And those who were with Harold fell

The isolated horseman to the right is in a tricky position. He has slid onto the pommel of his saddle and is lying on his horse's withers as the latter collapses in agony. His legs almost touch the ground. Yet, he is not particularly tall. The horses were small: from around 1.5 to 1.6 metres.

Let's take a detailed look at the horse's harnessing. The saddle, probably made of beech wood, is placed on a mat, the fringes of which are visible. The tree, the central part of the saddle, is covered with leather. To the front, a prominent pommel* and, to the rear, a relatively high cantle* are supposed to enable the rider to stay seated in the case of a shock. One end of the stirrup leather* is attached to the tree and the other to a triangular stirrup within which the horseman slips his feet upon which he wears pointed spurs. A rein is attached to the corner of the horse's lips.

To the extreme right, a disarmed English combatant is on the point of being decapitated. His hands are open in supplication.

HIC HAROLD REX INTERFECTUS EST

Harold reçoit une flèche
dans l'œil
*Harold is hit in the eye with
an arrow*

La mort de Harold
Harold's death

Ici le roi Harold fut tué

La dernière scène de la bataille se joue vers 17 heures. Les archers normands harcèlent les fidèles regroupés autour de Harold sur la colline où il a établi son poste de commandement. Un porte-étendard tient fermement l'emblème du roi, un dragon en métal.

Harold figure sous son nom. Titubant, il tente d'arracher la flèche qui vient de pénétrer dans son œil droit. Il est probablement montré une seconde fois, portant une hache et tombant à la renverse. Il est alors achevé par un cavalier qui lui sectionne la cuisse.

Les récits du XIIe siècle corroborent cette version. Si la flèche d'un archer inconnu a effectivement atteint le roi, celui-ci aurait succombé aux coups portés par Guillaume, Eustache de Boulogne, Hugues de Ponthieu et l'un des fils de Gautier Giffard. Ce dernier aurait amputé le corps du roi et emporté la cuisse coupée. Horrifié par ce geste macabre, Guillaume l'aurait alors chassé.

La huitième couture de la Tapisserie est si habilement dissimulée sous la hampe de l'étendard qu'il est quasiment impossible de la détecter.

Here King Harold was killed

The last battle scene takes place at around 5pm. The Norman archers harry the loyal soldiers who rally round Harold on the hill where he has established his command post. A standard bearer is firmly holding the king's emblem, a metal dragon.

Harold is depicted under his name. Staggering, he tries to remove the arrow that has just penetrated his right eye. He is probably represented again, carrying an axe and falling backwards. He is then finished off by a horseman who chops his thigh.

12th century accounts endorse this version. Although an arrow fired by an unknown archer did indeed hit the king, he is believed to have died following blows by William, Eustace of Boulogne, Hugh of Ponthieu and one of Gautier Giffard's sons. The latter is said to have amputated the king's body and to have carried off his cut thigh. Horrified by this macabre behaviour, William is said to have pursued him.

The eighth seam on the Tapestry is so cleverly concealed under a standard pole that it is almost impossible to see.

ET FUGA VERTERUNT ANGLI

Et les Anglais prirent la fuite

Alors que quelques soldats anglais résistent encore, la diffusion de la nouvelle de la mort de Harold incite les dernières troupes à prendre la fuite. Elles abandonnent la colline pour partir vers le Nord et se regrouper dans une cuvette, la Malfosse. La nuit qui tombe assez tôt en cette saison met fin à la lutte contre cette poche de résistance.

On voit dans la bordure inférieure les cadavres dépouillés de leurs cottes de mailles et laissés dénudés. Les pertes humaines sont considérables. L'estimation varie entre le quart et le tiers des forces engagées dans le camp français. Elles sont peut-être encore plus lourdes dans le camp anglais. D'après les sources, il semblerait que les Français furent enterrés sur place et les Anglo-Saxons abandonnés « aux vers, aux loups, aux chiens », mais aucun charnier n'a jamais été retrouvé. Le corps de Harold gisant auprès de celui de ses frères fut, selon les versions, ou bien inhumé sur une falaise ou bien confié aux moines de l'abbaye de Waltham pour recevoir une tombe dans le monastère qu'il avait fondé.

And the English fled

As the English soldiers continue to resist, news of Harold's death prompts the last troops into flight. They abandon the hill to head northwards and to gather in a ditch, the Mal Fosse. Night falls early in the autumn season, putting an end to the battle in this pocket of resistance.

The lower frieze depicts the dead bodies being stripped of their coats of mail and left naked. Human losses were considerable. Estimations vary between a quarter and a third of the troops engaged in the French camp. They may have been even heavier in the English camp. According to sources, it appears that the French were buried on site and that the Anglo-Saxons were abandoned "to the worms, the wolves, the dogs," yet no mass grave has ever been found. Harold's body, lying next to those of his brothers, was – according to different versions – either buried on a cliff or entrusted to monks from Waltham Abbey in order to offer him a grave in the monastery he had founded.

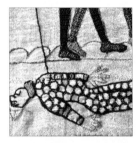

Le corps d'un soldat mort d'un coup de lance
The body of a soldier killed by a spear

SCÈNE 58

Un cavalier. Broderie
restaurée au XIXᵉ siècle.

*A horseman. Embroidery
restored in the 19th century.*

La dernière image de la Tapisserie a été très restaurée au XIXᵉ siècle. Les brodeurs ou brodeuses ont sans doute suivi les trous laissés sur la toile par les aiguilles de leurs prédécesseurs du XIᵉ siècle pour essayer de restituer les sujets qu'ils devinaient encore. Leur interprétation est gauche. L'arbre est figé dans sa raideur et les hommes sont dotés de traits grossiers. Les cavaliers maniant le fouet sortent tout droit de leur imagination.

La Tapisserie est-elle inachevée ou bien quelques scènes ont-elles disparu ? On ne peut le dire. Une gravure du début du XVIIIᵉ siècle atteste déjà de sa mutilation à cet endroit. Il est plaisant de croire qu'elle se terminait par la scène de couronnement de Guillaume à l'abbaye de Westminster le jour de Noël 1066, puis par une broderie décorative verticale. Il est peu vraisemblable qu'elle ait raconté la marche victorieuse des Normands sur Londres, en passant par Douvres, Cantorbéry, Southwark, Wallingford, Berkhamsted. Le point d'orgue de la Tapisserie est la mort du roi Harold et la victoire de Guillaume au terme d'une des plus célèbres batailles de l'histoire.

The last scene of the Tapestry was restored in the 19th century. The embroiderers very probably followed the holes left in the canvas by their 11th century predecessors, in an attempt to reproduce figures, the outlines of which could still be vaguely made out. Their interpretation is clumsy. The tree is stilted by its stiffness and the men are embroidered in rough lines. The horsemen with whips are pure figments of their imagination.

Is the Tapestry unfinished or have certain scenes disappeared? We cannot say. En early 18th century engraving already confirms its mutilation on the same scene. It is pleasing to believe that it may have been concluded with a scene depicting William's coronation in Westminster Abbey on Christmas Day 1066, to end with a vertical decorative embroidery. It is rather unlikely that it conveyed the Normans' victorious march to London, via Dover, Canterbury, Southwark, Wallingford and Berkhamsted. The Tapestry's grand finale is the depiction of Harold's death and William's victory after one of the most famous battles in history.

ANNEXES
APPENDICES

Repères chronologiques
Chronological references

Courant 1064 : voyage de Harold Godwinson en Normandie.

Nuit du 4 au 5 janvier 1066 : mort du roi Edouard.

6 janvier 1066 : enterrement du roi Edouard à Westminster et montée sur le trône de Harold Godwinson.

Premier semestre 1066 : réunion des vassaux de Guillaume à Lillebonne.

Août-septembre 1066 : regroupement de la flotte normande dans l'estuaire de la Dives et dans les ports de Dives-sur-Mer et de Cabourg.

8 septembre 1066 : licenciement du *fyrd*, armée anglo-saxonne mobilisée ponctuellement.

Autour du 12 septembre 1066 : départ de la flotte normande de Dives-sur-Mer vers l'estuaire de la Somme et le port de Saint-Valéry-sur-Somme.

Autour des 12-14 septembre 1066 : débarquement norvégien en Angleterre, à l'embouchure de la Tyne. À sa tête, le roi Harald le Sévère.

Les 16 ou 17 septembre 1066 : la nouvelle de l'invasion du nord de l'Angleterre par une armée norvégienne parvient à Harold.

Les 18 ou 19 septembre 1066 : Harold et son armée quittent Londres pour gagner à marche forcée la région de York (350 km).

25 septembre 1066 : bataille de Stamford Bridge et anéantissement de l'armée norvégienne par l'armée anglo-saxonne. Mort du roi norvégien Harald le Sévère et de son allié, Tostig Godwinson, frère du roi Harold.

27 septembre 1066 : embarquement de la flotte ducale normande à Saint-Valéry-sur-Somme.

28 septembre 1066 : débarquement de la flotte ducale normande à Pevensey.

Autour du 30 septembre 1066 : construction d'un château à Hastings par les forces normandes.

Les 1er ou 2 octobre 1066 : Harold apprend le débarquement normand sur la côte sud-est de l'Angleterre.

Du 6 au 11 ou 12 octobre 1066 : Harold redescendu du nord de l'Angleterre à marche forcée, passe cinq jours à Londres pour organiser une nouvelle armée et aller combattre celle de Guillaume.

14 octobre 1066 : bataille de Hastings.

21 octobre 1066 : soumission de Douvres.

29 octobre 1066 : soumission de Cantorbéry.

Fin octobre 1066 : soumission de Winchester.

Fin novembre 1066 : incendie de Southwark, faubourg de Londres.

Début décembre 1066 : franchissement de la Tamise et soumission de l'archevêque Stigand à Wallingford.

Vers le 10 décembre 1066 : à Berkhampsted, ralliement de l'archevêque d'York et d'une délégation d'habitants de Londres.

25 décembre 1066 : couronnement de Guillaume à l'abbaye de Westminster.

During 1064: Harold Godwinson's journey to Normandy.

Night of 4th to 5th January 1066: death of King Edward.

6th January 1066: King Edward is buried in Westminster and Harold Godwinson takes the throne.

First half of the year 1066: William's vassals reunite in Lillebonne.

August-September 1066: the Norman fleet is gathered in the Dives estuary and in the ports of Dives-sur-Mer and Cabourg.

8th September 1066: dismissal of the fyrd, the Anglo-Saxon army, mobilised when needed.

Circa 12th September 1066: the Norman fleet leaves Dives-sur-Mer to head for the Somme estuary and the port of Saint-Valéry-sur-Somme.

Circa 12th-14th September 1066: Norwegian landing in the mouth of the River Tyne in England. Harald Hardrada leads the expedition.

16th or 17th September 1066: Harold receives news of the invasion by a Norwegian army in northern England.

18th or 19th September 1066: Harold and his army leave London to head for York in forced marches (350km).

25th September 1066: Battle of Stamford Bridge and annihilation of the Norwegian army by the Anglo-Saxon army. Death of the Norwegian king Harald Hardrada and his ally, Tostig Godwinson, Harold's brother.

27th September 1066: the Norman ducal fleet embarks in Saint-Valéry-sur-Somme.

28th September 1066: the Norman ducal fleet lands in Pevensey.

Circa 30th September 1066: construction of a castle at Hastings by the Norman forces.

1st or 2nd October 1066: Harold learns of the Norman landing on the south-east coast of England.

From 6th to 11th or 12th October 1066: returned in forced marches from the north of England, Harold spends five days in London to organise a new army to challenge William's.

14th October 1066: Battle of Hastings.

21st October 1066: submission of Dover.

29th October 1066: submission of Canterbury.

Late October 1066: submission of Winchester.

Late November 1066: fire in Southwark, an inner London suburb.

Early December 1066: the Thames is crossed and Archbishop Stigand submits at Wallingford.

Circa 10th December 1066: gathering in Berkhampsted of the Archbishop of York and a delegation of Londoners.

25th December 1066: William's coronation in Westminster Abbey.

LEXIQUE
GLOSSARY

Affaler une voile : action de descendre une voile.

Amphisbène : monstre en forme de serpent à deux têtes.

Arc en plein cintre : arc typique de l'architecture romane dont la courbe correspond à un demi-cercle.

Arcature : motif architectural composé d'une succession d'arcades sur un mur.

Bardeau : planches de bois servant à couvrir une toiture.

Bliaud : vêtement de dessus en forme de tunique.

Bordage : planches qui recouvrent les membrures (ou couples) d'un bateau pour constituer le bordé.

Bordé : ensemble des bordages qui s'appuient sur les membrures (ou couples) et forment le structure du bateau avec les varangues et la quille. Le bordé forme le revêtement extérieur d'une coque de bateau.

Braies : vêtement en forme de pantalon court.

Brandon : flambeau de paille.

Broigne : vêtement sur lequel sont fixées des pièces de métal visant à protéger le thorax.

Camail : sorte de cagoule en mailles qui protège la tête d'un combattant et en particulier sa nuque.

Carène : partie immergée de la coque d'un navire. La technique de construction des toits en carène de bateau renversé s'inspire de la construction navale.

Casque à nasal : pièce d'armure servant à protéger la tête et le nez.

Centaure : créature mythologique, mi-homme, mi-cheval.

Centauresse : centaure femelle.

Clerc : homme d'église ayant reçu la tonsure.

Clin : ensemble de planches de la coque d'un bateau qui se recouvrent les unes les autres.

Comète de Halley : phénomène astronomique qui se manifeste tous les 76 ans. C'est l'astronome Edmond Halley (1656-1742) qui en a calculé la périodicité. Son dernier passage remonte à 1986.

Cotte de mailles : vêtement constitué de mailles en fer qui s'entrelacent pour former une protection du corps.

Déhaler : déplacer un navire.

Doloire : hache à fer long et à un seul tranchant destinée à dresser les faces des bordages.

Drakkar : le mot « drakkar » provient du mot viking « *dreki* » qui signifie « dragons » et qui désigne les figures de proue des bateaux vikings. Mal compris, il a été utilisé à partir de 1840 pour dénommer tous les navires vikings quelles que soient leur forme et leur utilité.

Droit d'épaves : droit par lequel un seigneur s'appropriait tout ce qui venait s'échouer sur ses côtes.

Éperon : pièce de métal qui s'adapte au talon d'un cavalier et dont l'extrémité pointue sert à piquer les flancs du cheval pour le stimuler.

Esnèque : le mot provient du scandinave « *snekkja* ». Il s'agit d'un grand navire mesurant 20 à 25 mètres de long, accueillant un équipage de quarante rameurs, mais pouvant être ramené à une dizaine de marins s'il avance à la voile. Son architecture permet l'embarquement de chevaux.

Étambot : pièce de charpente, fixée sur l'extrémité arrière de la quille.

Étrave : pièce de charpente, fixée sur l'extrémité avant de la quille.

Étrivière : pièce en cuir reliant la selle à l'étrier.

Fibule : agrafe en métal servant à fixer les extrémités d'un vêtement.

Fourrier : responsable de l'intendance dans une armée.

Fyrd : contingent anglo-saxon formé de gens du peuple qui ont été mobilisés et qui sont peu entraînés au maniement des armes.

Genette : mammifère carnassier au pelage clair teinté de noir.

Gonfanon : étendard fixé à une lance et porté à la verticale sous lequel viennent se ranger les vassaux d'un seigneur.

Gréement : ensemble des cordages, manœuvres et poulies nécessaires à la maniement des voiles d'un bateau. Sur les bateaux de la Tapisserie, il se réduit à quatre ou six câbles retenant au bordage le sommet du mât.

Griffon : animal fabuleux doté d'un corps de lion, d'une tête et des ailes d'aigle, des oreilles du cheval et d'une crête de nageoires de poisson.

Herminette : hache de charpentier à fer recourbé.

Homme lige : se dit du vassal qui, par la forme de l'hommage prêté, est plus étroitement obligé vis-à-vis de son seigneur que par l'hommage ordinaire.

Housecarle : membre d'un corps d'élite qui avait été créé par le roi Cnut le Grand. On peut penser qu'il est encore composé de guerriers descendants de Danois.

Javelot : arme de jet dont la taille est plus réduite que celle d'une lance.

Jets : lanières de cuir attachées aux pattes d'un faucon pour le tenir.

Jusant : période de marée descendante.

Lé : largeur d'une étoffe entre deux lisières.

Manipule : ornement en forme de bande étroite décorée de broderies et terminée par une frange ou des glands, porté par les membres du clergé sur leur bras gauche lorsqu'ils célèbrent la messe.

Motte : butte de terre rapportée servant d'assise à un château féodal et généralement entourée d'un fossé.

Pégase : cheval ailé de la mythologie grecque.

Penture : bande de fer destinée à recevoir un gond et qui est clouée sur le vantail d'une porte.

Perche de navigation : long bâton qu'on utilise pour propulser une embarcation.

Pommeau : partie antérieure de l'arçon d'une selle.

Préséance : droit de prendre place au-dessus de quelqu'un ou de le précéder.

Quille : pièce maîtresse de la charpente axiale de la coque d'un bateau.

Siéger en majesté : c'est une figure codifiée selon laquelle le seigneur est représenté en position assise sur un trône surélevé et recouvert d'un dais. Il tient les symboles de son pouvoir et est enveloppé tout entier dans un manteau.

Souffleter : gifler.

Suzerain : seigneur possédant un fief (une terre) dont dépendent d'autres fiefs.

Tarière : grande vrille de charpentier servant à faire des trous dans le bois.

Tintenelle : clochette

Trou de nage (ou dame de nage) : entaille pratiquée dans le bordage supérieur d'une embarcation et servant de point d'appui aux avirons (ou rames).

Troussequin : partie postérieure de la selle.

Vassal : personne devant fidélité, obéissance, aide militaire et financière à son suzerain contre la protection qu'il lui assure et la remise d'un fief (une terre) qui lui rapporte des revenus.

Vergue : pièce de bois qui soutient et oriente la voile d'un bateau. Elle est perpendiculaire au mât.

Witan* ou *Witangemot : institution politique anglo-saxonne constituée de comtes, barons, membres du haut clergé, qui sert notamment à légitimer le successeur d'un roi par élection.

Adze: *carpenter's axe with a curved blade.*

Amphisbaenian: *monster in the form of a snake with two heads.*

Auger: *large carpenter's spiral tool used to make holes in wood.*

Bliaud: *overgarment in the form of a tunic.*

Blind arcade: *architectural motif comprised of a succession of arcades on a wall.*

Broad axe: *also known as a doloire, long single-blade iron axe used to prepare the edges of the planking.*

Breeches: *garment in the form of short trousers.*

Cantle: *rear part of a saddle.*

Carina: *the submerged part of a ship's hull.*
The technique used to build roofs in the form of overturned carinas is inspired by naval construction.

Centaur: *mythological creature - half-man half-horse.*

Centauress: *female centaur.*

Cleric: *member of the clergy with a tonsured head.*

Clinked (clinking): *said of the overlapping planks used to cover the hull of a boat.*

Clinker planks: *planks that cover the ribs (or frames) of a boat to form clinker planking.*

Clinker planking: *group of clinker planks that are attached to the ribs (or frames) to form the main structure of a boat along with the floor plates and the keel. The planking forms the outer cladding of the boat's hull.*

Coat of mail: *garment made of interlacing iron mail used to protect the body.*

Cuff: *to tap with the hand.*

Drakkar: *the word "Drakkar" comes from the Viking word "dreki" meaning "dragons" and refers to the figureheads on Viking boats. Misunderstood, the word has been used since 1840 to designate Viking ships, independently of their shape or use.*

Ebb tide: *the period during which the tide goes out.*

Esneque: *this word comes from the Scandinavian word "snekkja". It is a long ship measuring 20 to 25 metres and housing a crew of forty oarsmen, which can be reduced to ten sailors if a sail is used. Its architecture enables horses to be boarded.*

Fibula: *metal brooch used to attach the extremities of a garment.*

Firebrand: *straw torch.*

Franchise of wreck: *a law by which a seigneur can claim any goods which are washed up on his coasts.*

Fyrd: *Anglo-Saxon contingent comprised of mobilised local populations who had very little training in handling weapon.*

Genet: *flesh-eating mammal with a light-coloured coat with black spots.*

Gonfalon: *standard attached to a spear, held vertically and under which the seigneur's vassals are grouped.*

Griffin: *fantasy animal with a lion's body, an eagle's head and wings, a horse's ears, a crest and fish fins.*

Halley's Comet: *astronomical phenomenon that occurs once every 76 years. The astronomer Edmond Halley (1656-1742) calculated its periodicity. Its last appearance was in 1986.*

Haul down: *to bring down a ship's sail.*

Hood of mail: *hood made of mail to protect the combatant's head, the back of his neck in particular.*

Housecarl: *member of an elite corps created by King Cnut the Great. It is reasonable to suppose that it was still comprised of Danish descendents.*

Javelin: *projectile of smaller size than a spear.*

Jesses: *strips of leather attached to a falcon's legs to hold it.*

Keel: *the main beam of the central frame of a boat's hull.*

Length (of cloth): *name given to a strip of fabric between two edges.*

Liegeman: *said of a vassal who, by the type of homage paid, is more stringently obliged to his seigneur than by ordinary homage.*

Maniple: *adornment in the form of a narrow band decorated with embroidery and ending in a fringe or tassels, worn by members of the clergy on their left arm when they celebrate mass.*

Mound: *small artificial hill created to support a feudal castle and generally surrounded with a ditch.*

Nasal helmet: *piece of armour used to protect the head and the nose.*

Navigation pole: *long stick used to propel an embarkation.*

Oar ports: *holes in the upper planking of an embarkation used to house and support oars.*

Pegasus: *winged horse from Greek mythology.*

Pommel: *front part of the tree of a saddle.*

Precedence: *the right to position oneself above or in front of someone else.*

Quartermaster: *person in charge of supplies in an army.*

Rigging: *all of the ropes, supports and pulleys required to control a boat's sails. On the boats represented on the Tapestry, it is limited to four or six cables which connect the top of the mast to the planking.*

Ring armour: *garment upon which pieces of metal aimed at protecting the chest are attached.*

Semicircular arch: *typical Romanesque architectural feature.*

Shingle: *wooden planks used to cover a roof.*

Sit in majesty: *codified figure by which a seigneur is represented seated on a raised throne covered with a canopy. He holds symbols of his power and is totally swathed in a coat.*

Spar: *piece of wood used to support and steer a boat's sail. It is perpendicular to the mast.*

Spur: *piece of metal that fits a horseman's heel and the pointed extremity of which is used to prick the horse's flank to stimulate it.*

Stem: *piece of wood attached to the extreme front of the keel.*

Stern-post: *piece of wood attached to the extreme rear of the keel.*

Stirrup leather: *piece of leather connecting the saddle to the stirrup.*

Strap hinge: *strip of iron designed to house a hinge and which is nailed to the frame of a door.*

Suzerain: *seigneur with a fief (land) upon which other fiefs are dependent.*

Tintenelle: *small bell*

Vassal: *person who owes fidelity, obedience, military and financial help to his suzerain in exchange for the latter's protection and the provision of a fief (land) which provides income.*

Warp: *to move a ship.*

Witan or Witangemot: *Anglo-Saxon political institution comprised of earls, barons and members of the high clergy, used in particular to legitimate a king's successor by election.*

INDEX DES NOMS DE PERSONNES
INDEX OF CHARACTER NAMES

Ælfgyve : prénom anglo-saxon et personnage énigmatique de la scène 15 de la Tapisserie (voir aussi Emma de Normandie).

Ælfgyve de Northampton : appartenant à la noblesse anglo-saxonne de l'ancienne Mercie, elle épouse *more danico* le roi Cnut le Grand vers 1016, c'est-à-dire qu'elle en est la concubine. Leurs deux fils deviendront rois. L'aîné, Sven, roi de Norvège (1030-1035) et le second, Harold Pied de Lièvre, roi d'Angleterre (1037-1040). On a voulu voir en elle la mystérieuse Ælfgyve de la scène 15 de la Tapisserie, en raison des rumeurs courant sur sa conduite scandaleuse.

Ælfgyve, abbesse de Wilton (1065-1067) : une des sœurs de Harold Godwinson et de la reine Edith. On a voulu voir en elle la mystérieuse Ælfgyve de la scène 15 de la Tapisserie, présente dans la délégation anglaise à la cour de Rouen. Le chapelain Goscelin (qui a rédigé une vie de sainte Edith, moniale au couvent bénédictin de Wilton) serait représenté aux côtés d'Ælfgyve, montrant son œil guéri suite à un miracle de la sainte.

Baudri de Bourgueil (vers 1046-1130) : abbé de Bourgueil et chroniqueur, auteur d'un poème à Adèle, fille de Guillaume le Conquérant et comtesse de Blois. Il y décrit la chambre de la comtesse qui contient plusieurs tentures dont l'une ressemble à la Tapisserie de Bayeux.

Beowulf : héros scandinave de la littérature anglo-saxonne. Il vient, entre autres, à l'aide du roi danois Hroogar dont le palais a été attaqué par le monstre Grendel. Il ira combattre la mère de Grendel en plongeant dans un lac.

Conan II de Bretagne (vers 1033/34-1066) : comte de Rennes qui prétend étendre son autorité sur toute la Bretagne (1040-1066).

Eadgifu, abbesse de Leominster : elle fut abusée en 1046 par Swen Godwinson, un des frères de Harold. Elle est probablement la mère de Hakon qui avait été envoyé par le roi Edouard comme otage à la cour de Guillaume vers 1051. On a voulu voir en elle la mystérieuse Ælfgyve de la scène 15 de la Tapisserie, présente à la cour normande auprès de son jeune fils.

Edouard le Confesseur (vers 1005-1066) : fils du roi anglo-saxon Æthelred II le Malavisé et d'Emma de Normandie, fille du duc Richard Ier. Il trouve refuge à la cour normande en 1013-1014 lorsque le roi danois Sven s'empare de l'Angleterre. Alors qu'il revient dans son pays et que Sven, puis Æthelred, décèdent, le trône passe à son frère aîné Edmond Côte de Fer, puis à la mort de celui-ci, en 1016, au danois Cnut le Grand, marié à sa mère, Emma. Il choisit de nouveau l'exil et passe probablement la plupart de son temps en Normandie. Le trône lui échappe en 1035 au profit de son demi-frère Harthacnut qui l'autorise à revenir en 1041 et le désigne comme son successeur. Il devient roi en 1042, est couronné en 1043 et règne jusqu'à sa mort en 1066. Son union en 1045 avec Edith, qui appartient à la famille des Godwin, n'aurait jamais été consommée. Il doit lutter contre Godwin et ses fils qui développent les oppositions à l'encontre des Normands qui l'entourent. Sa succession met aux prises son beau-frère Harold, un des fils de Godwin, et son petit-cousin, Guillaume le Bâtard, duc de Normandie. Profondément religieux, il reçoit après sa mort le surnom du Confesseur. Il est canonisé en 1161 et devint un saint très populaire.

Emma de Normandie (vers 980-1052) : fille du duc Richard Ier de Normandie, elle abandonne son prénom pour celui d'Ælfgyve lorsqu'elle va vivre en Angleterre. Elle devient l'épouse du roi Æthelred (1002-1016) puis celle du roi Cnut le Grand (1016-1035). De son premier mariage naîtra Edouard le Confesseur. Elle est aussi la grand-tante de Guillaume, duc de Normandie. On a voulu voir en elle la mystérieuse Ælfgyve de la scène 15 de la Tapisserie, en raison de sa relation supposée avec Ælfwine, évêque de Winchester.

Eustache II de Boulogne (vers 1015/1022-1087) : marié en 1035, en premières noces, à Godgifu, fille du roi Æthelred et d'Emma de Normandie, il est le beau-frère d'Edouard le Confesseur. Il hérite en 1047 du comté de Boulogne à la mort de son père Eustache I. Il est le vassal du comte de Flandre et l'allié de Guillaume. Il participera à la Conquête de l'Angleterre avec 50 chevaliers.

Gautier Giffard : il est seigneur de Longueville [-sur-Scie], dans notre actuelle Seine-Maritime. C'est un proche de Guillaume le Conquérant auquel il a fourni 30 navires et 100 chevaliers pour participer, avec son fils, à la conquête de l'Angleterre.

Guillaume de Poitiers (vers 1020-1090) : chapelain du duc Guillaume et chroniqueur. Il est l'auteur des *Gesta Willelmi ducis Normannorum et regis Anglorum* qui couvrent la période 1035-1067 et qui ont été rédigés vers 1073-1074. Il donne une description détaillée des préparatifs de la conquête et de la bataille de Hastings.

Guillaume duc de Normandie, dit Guillaume le Bâtard et Guillaume le Conquérant, roi d'Angleterre (vers 1027-1087) : fils naturel de Robert le Magnifique, duc de Normandie et d'une Falaisienne, Herlève dite Arlette. Cette naissance illégitime lui vaut le surnom de Guillaume le Bâtard. Il devient duc à la mort de son père en 1035. Sa jeunesse est marquée par une période de troubles qui prend fin avec la bataille du Val-ès-Dunes de 1047. Il se marie vers 1050 avec Mathilde de Flandre, fille du comte Beaudoin V et nièce du roi de France, Henri Ier. Il doit par la suite faire face aux ambitions de ses voisins. Le roi de France qui les soutient, inquiet de la puissance de son vassal normand, essuiera les défaites de Mortemer en 1054 et de Varaville en 1057. Vers 1051, il semblerait que Guillaume se soit rendu en Angleterre et que le roi Edouard, son petit-cousin, lui ait proposé de lui succéder à sa mort. Harold Godwinson s'empare du trône anglais en janvier 1066, ce qui déclenche la préparation d'un débarquement normand en Angleterre, la tenue de la bataille de Hastings, une expédition guerrière vers Londres et le couronnement de Guillaume comme roi d'Angleterre le 25 décembre 1066 sous le nom de Guillaume Ier. La postérité a donné à Guillaume de Normandie le nom de « Conquérant ». Il est probable qu'il l'eût réfuté dans la mesure où il considérait l'Angleterre comme un bien échu en héritage. Il dut faire face à plusieurs rébellions anglo-saxonnes jusque vers 1075 mais consolida son pouvoir en s'appuyant sur les seigneurs et le clergé normands qui remplacèrent les précédents détenteurs des terres et des charges ecclésiastiques. Il administra de façon séparée la Normandie et l'Angleterre.

Guy de Ponthieu (mort en 1100) : comte de Ponthieu de 1053 à 1100. Il a fait partie des révoltés contre Guillaume qui s'étaient engagés auprès du roi de France Henri Ier. Il sera obligé de reconnaître la suzeraineté du duché de Normandie.

Gyrth Godwinson (vers 1032-1066) : quatrième fils de Godwin et un des frères cadets de Harold. Après la mort de son père en 1053, il devient comte d'Est-Anglie, du Cambridgeshire et d'Oxfordshire. Resté fidèle à Harold, il meurt à la bataille de Hastings.

Harald le Sévère : roi de Norvège (1046-1066) sous le nom de Harald III. On l'a surnommé aussi le « Dernier des Vikings ». Il a succédé au roi Magnus qui, par un accord passé avec le roi anglo-saxon Harthacnut (1040-1042), prédécesseur d'Edouard le Confesseur, aurait pu monter sur le trône anglais. Harald se prévaut de ce pacte pour revendiquer la couronne anglaise. Il s'allie à Tostig, frère de Harold, et débarque en Angleterre avec 300 navires au sud d'York, en septembre 1066. Son armée est défaite à Stamford Bridge et il y trouve la mort.

Harold Godwinson ou Harold II (vers 1022-1066) : second fils de Godwin, comte de Wessex, et de Gytha Thorkelsdottir, sœur d'un jarl (comte) danois. La famille semble au faîte de son pouvoir quand, en 1045, une sœur de Harold, Edith, devient l'épouse du roi Edouard le Confesseur. Cela n'empêche pas Godwin de rallier autour de lui les comtes hostiles aux Normands et de refuser de punir les coupables d'une embuscade tendue à Eustache de Boulogne, le beau-frère d'Edouard. Il est exilé avec toute sa famille

pendant un an. En 1053, Godwin meurt et Harold hérite du Wessex qui représente le tiers de l'Angleterre du Sud. En 1057, il devient comte de Hereford. En 1062-1063, il mène des campagnes victorieuses au Pays de Galles. En 1064, il se rend auprès de Guillaume de Normandie. À la mort d'Edouard en janvier 1066, il monte sur le trône d'Angleterre et doit faire face à deux invasions : celle de Harald le Sévère dans le Nord ; celle de Guillaume dans le sud-est. Il perd la vie à Hastings le 14 octobre 1066. C'est le dernier roi anglo-saxon.

Leofwine Godwinson (vers 1035-1066) : cinquième fils de Godwin et le plus jeune frère de Harold. Après la mort de son père en 1053, il devient comte du Kent, de l'Essex, de Middlesex, du Hertfordshire, du Surrey et probablement du Buckinghamshire. Resté fidèle à Harold, il meurt à la bataille de Hastings.

Odon de Conteville dit aussi Odon de Bayeux (vers 1030-1097) : fils aîné d'Herluin de Conteville et d'Herlève dite Arlette de Falaise, demi-frère du duc Guillaume de Normandie et frère de Robert de Mortain. Il reçoit de Guillaume l'évêché de Bayeux vers 1049-1050. Il réorganise son diocèse et finance l'achèvement de la reconstruction de la cathédrale de Bayeux, consacrée en juillet 1077. Il contribue avec le don de 100 bateaux à l'invasion de l'Angleterre et joue un rôle éminent dans la bataille de Hastings. Il reçoit en remerciement de ses services le comté du Kent et de vastes territoires à travers l'Angleterre. Il devient le plus riche seigneur du royaume et sa fortune est colossale. Guillaume lui confie la régence à plusieurs reprises. Cependant, pour une raison qui échappe aux historiens, il tombe en disgrâce en 1082 et toutes ses possessions anglaises sont confisquées. Il est emprisonné à Rouen jusqu'à la mort de Guillaume en 1087. On pense qu'il fut le commanditaire de la Tapisserie de Bayeux.

Orderic Vital (1075-vers 1142) : moine anglo-normand et chroniqueur. Il retrace l'histoire du duché de Normandie et du royaume d'Angleterre dans l'*Historia Ecclesiastica*.

Rasiphe (saint) et Raven (saint) : saints martyrs du diocèse de Sées dont les reliques ont été transférées à la cathédrale de Bayeux.

Rivallon : seigneur de Combourg et de Dol.

Robert de Mortain (vers 1031-vers 1090) : fils cadet d'Herluin de Conteville et d'Herlève dite Arlette de Falaise, demi-frère du duc Guillaume de Normandie et frère d'Odon, évêque de Bayeux. Il doit le comté de Mortain à Guillaume. Il apporte 120 bateaux pour la conquête de l'Angleterre et participe à la bataille de Hastings. Il est récompensé par l'octroi de terres autour de Pevensey, dans tout le Pays de Galles et bien ailleurs en Angleterre.

Robert Fils Wimarch : Normand venu en Angleterre avec le roi Edouard le Confesseur.

Stigand : archevêque de Winchester et de Cantorbéry. La nomination à ce dernier siège par le roi Edouard le fait primat d'Angleterre mais est contestée par la papauté. Il a en effet succédé à Robert de Jumièges, évêque qui n'a pas été déposé par le pape et qui est toujours en vie. Il se pourrait que le pape Léon IX ait excommunié Stigand. Il n'a pas reçu de *pallium*, symbole de l'autorité archiépiscopale et utilise celui de son prédécesseur.

Tostig Godwinson (vers 1026-25-septembre 1066) : troisième fils de Godwin et frère de Harold. Earl de Northumbrie (1055-1065), il est chassé de son comté par une révolte. Exilé par Edouard le Confesseur, après avoir trouvé refuge auprès de son beau-père Beaudoin V de Flandre, il affronte Harold devenu roi en réussissant à débarquer sur l'île de Wight et, de là, à mener des raids en Angleterre (Sandwich, puis autour de Norfolk et Lincoln). Défait, il fuit en Écosse avant de gagner la Norvège. Il s'unit à Harald le Sévère pour aller combattre en Northumbrie et dans le Yorkshire avant de trouver la mort à la bataille de Stamford Bridge.

Turold : prénom normand suffisamment courant pour ne pas permettre d'identifier celui qui le porte. Il doit s'agir de quelqu'un appartenant à l'entourage du duc Guillaume ou à celui de son demi-frère Odon. Dans ce dernier cas, on a recensé sous ce nom un vassal d'Odon dans le comté du Kent ou bien un abbé à Peterborough.

Vital : vassal de l'abbaye de Fécamp, qui, à l'issue de la Conquête, devient propriétaire terrien.

Wace (vers 1110-après 1174) : clerc et chroniqueur. Son *Roman de Rou* commencé vers 1160 et interrompu vers 1174 raconte l'histoire des premiers ducs de Normandie. Il suit fidèlement ses sources latines mais dispose aussi de traditions orales pour relater la conquête de l'Angleterre.

Wadard : Normand de l'entourage d'Odon de Conteville cité dans plusieurs textes comme ayant reçu des maisons et des terres en Angleterre.

Ælfgifu: (also Ælfgyfu, Ælfgyve, Elfgiva, Elgiva, etc.) Anglo-Saxon first name and enigmatic figure of the Tapestry's scene 15 (refer also to Emma of Normandy).

Ælfgifu of Northampton: among the Anglo-Norman nobility from the former Kingdom of Mercia, she married, more danico, King Cnut the Great circa 1016. In other words, she was his concubine. Their two sons became king. Sweyn, the older of the two, was King of Norway (1030-1035) and Harold Harefoot, his younger brother, became King of England (1037-1040). Some believe she is the mysterious figure named Ælfgifu in scene 15, due to rumours on her scandalous conduct.

Ælfgifu, Abbess of Wilton (1065-1067): one of Harold Godwinson and Queen Edith's sisters. Some believe she is the mysterious figure named Ælfgifu in scene 15, for present among the English delegation at the Rouen court. The chaplain Goscelin (who wrote the life of St. Edith, a cloistered nun at the Benedictine convent in Wilton Abbey) is believed to be represented next to Ælfgifu, showing his eye, healed after one of the saint's miracles.

Baudri de Bourgeuil (circa 1046-1130): *Abbot of Bourgeuil and chronicler, author of a poem in honour of Adela, William the Conqueror's daughter and Countess of Blois. In his poem, he describes the Countess's bedroom which houses several wall hangings, one of which resembles the Bayeux Tapestry.*

Beowulf: *Scandinavian hero from Anglo-Saxon literature. Among others, he helped the Danish King Hrothgar, whose palace was attacked by a monster named Grendel. He went to fight against Grendel's mother, by diving into a lake.*

Conan II of Brittany (circa 1033/34-1066): *Count of Rennes who intended to extend his authority throughout Brittany (1040-1066).*

Eadgifu, abbess of Leominster: *she was taken advantage of in 1046 by Sweyn Godwinson, one of Harold's brothers. She was probably the mother of Hakon, who was sent to William's court circa 1051 as a hostage by King Edward. Some believe she is the mysterious Ælfgifu in scene 15, for present in the Normand court alongside her young son.*

Edward the Confessor (circa 1005-1066): *son of the Anglo-Saxon King Æthelred II the Unready and of Emma of Normandy, daughter of Duke Richard I. He sought refuge in the Norman court in 1013-1014, when the Danish King Sweyn took over England. When he returned to his homeland and when Sweyn, then Æthelred, died, the throne was passed on to his elder brother Edmund Ironside, then, upon Edmund's death in 1016, to the Dane Cnut the Great, who was married to his mother Emma. He chose exile once more, during which most of his time was probably spent in Normandy. He lost the throne once more in 1035, taken by his half-brother Harthacnut, who authorised Edward to return to England in 1041,*

naming him as his successor. He became king in 1042, was crowned in 1043 and reigned until his death in 1066. His union with Edith, from the Godwin family, was never consumed. He was to battle against Godwin and his sons, increasingly opposed to the Normans among Edward's circle. His succession opposed his brother-in-law Harold, one of the Godwin sons, and his second cousin, William the Bastard, Duke of Normandy. Deeply religious, he was posthumously nicknamed the Confessor. He was canonised in 1161 and became a highly popular saint.

Emma of Normandy (circa 980-1052): *daughter of Duke Richard I of Normandy, she changed her first name to Ælfgifu when she came to live in England. She married King Æthelred (1002-1016) then King Cnut the Great (1016-1035). Edward the Confessor was born from her first marriage. She was also William, Duke of Normandy's great aunt. Some believe she is the mysterious figure named Ælfgifu in scene 15, due to her supposed relationship with Ælfwine, the Bishop of Winchester.*

Eustace II, Count of Boulogne (circa 1015/1022-1087): first married in 1035 to Godgifu (aka Goda of England), the daughter of King Æthelred and Emma of Normandy, he was Edward the Confessor's brother-in-law. In 1047, he inherited the County of Boulogne upon the death of his father Eustace I. He was vassal to the Count of Flanders and was one of William's allies. He took part in the Conquest of England, offering 50 horsemen.

Gautier Giffard: the seigneur of Longueville [-sur-Scie], located in the present-day Seine-Maritime area. Among William the Conqueror's close circle, he provided 30 ships and 100 horsemen and took part, along with his son, in the Conquest of England.

Guy of Ponthieu (deceased in 1100): Count of Ponthieu from 1053 to 1100. He was among the rebels who rose up against William with support from King Henry I of France. He was obliged to acknowledge the suzerainty of the Duchy of Normandy.

Gyrth Godwinson (circa 1032-1066): Godwin's fourth son and one of Harold's younger brothers. After his father's death in 1053, he became Count of East Angles, of Cambridgeshire and of Oxfordshire. He remained loyal to Harold and was killed at the Battle of Hastings.

Harald Hardrada: King of Norway (1046-1066) under the name of Harald III. He was also nicknamed the "Last Viking". He succeeded King Magnus, who, via a second agreement concluded with the Anglo-Saxon King Harthacnut (1040-1042), Edward the Confessor's predecessor, could well have taken the English throne. Harald used this pact to claim the English crown. He allied with Tostig, Harold's brother, and landed in England, to the south of York, with 300 ships, in September 1066. His army was defeated at Stamford Bridge and Harald was killed.

Harold Godwinson or Harold II (circa 1022-1066): second son of Godwin, Earl of Wessex, and of Gytha Thorkelsdottir, the sister of a Danish jarl (earl). The family seemed to have reached the peak of its power when, in 1045, Harold's sister, Edith, became the wife of Edward the Confessor. This did not prevent Godwin from rallying the earls who were hostile to the Normans and from refusing to punish the culprits behind an ambush set up against Eustace of Boulogne, Edward's brother-in-law. Godwin was sent into exile for a year with his entire family. In 1053, Godwin died and Harold inherited Wessex, which represented a third of southern England. In 1057, he became Earl of Hereford. In 1062-1063, he led victorious campaigns in Wales. In 1064, he travelled to see William of Normandy. Upon Edward's death in January 1066, he took the English throne and faced two invasions: the first by Harald Hardrada in the north; the second by William in the south-east. He lost his life at Hastings on the 14th of October 1066. He was the last Anglo-Saxon king.

Leofwine Godwinson (circa 1035-1066): Godwin's fifth son and Harold's youngest brother. After his father's death in 1053, he became Earl of Kent, Essex, Middlesex, Hertfordshire, Surrey and probably Buckinghamshire. He remained loyal to Harold and was killed at the Battle of Hastings.

Odo of Conteville, also known as Odo of Bayeux (circa 1030-1097): eldest son of Herluin de Conteville and Herleva, also known as Arlette of Falaise, Duke William of Normandy's half-brother and Robert of Mortain's brother. William offered him the bishopric of Bayeux circa 1049-1050. He reorganised his diocese and funded completion of the construction of Bayeux Cathedral, which was consecrated in July 1077. He contributed 100 boats for the invasion of England and played a major role during the Battle of Hastings. In reward for his service, he was given the County of Kent along with vast territories across England. He became the richest nobleman in the kingdom - his fortune was colossal. William entrusted him with the regency on several occasions. However, for a reason that remains a mystery to historians, he fell into disgrace in 1082 and all his English possessions were confiscated. He was imprisoned in Rouen until William's death in 1087. He is believed to have commissioned the Bayeux Tapestry.

Orderic Vital (1075-circa 1142): Anglo-Norman monk and chronicler. He relates the history of the Duchy of Normandy and the Kingdom of England in Historia Ecclesiastica.

Rasiphe (saint) and Raven (saint): martyred saints from the diocese of Sées, the relics of whom were transferred to Bayeux Cathedral.

Rivallon: seigneur of Combourg and Dol.

Robert of Mortain (circa 1031-circa 1090): youngest son of Herluin de Conteville and Herleva, also known as Arlette of Falaise, Duke William of Normandy's half-brother and Odo, Bishop of Bayeux's brother. He owed the county of Mortain to William. He provided 120 boats for the Conquest of England and took part in the Battle of Hastings. He was rewarded with land around Pevensey, throughout Wales and in other locations in England.

Robert Fils Wimarch: A Norman who came to England with King Edward the Confessor.

Stigand: Archbishop of Winchester and Canterbury. His nomination, by Edward, as Archbishop of Canterbury made him primate of England, but was contested by the papacy. Indeed, he succeeded Robert of Jumièges, a bishop who had not been deposed by the Pope and who was still alive. Pope Leo IX may well have excommunicated Stigand. He did not receive the pallium, a symbol of archiepiscopal authority, but used that of his predecessor.

Tostig Godwinson (circa 1026-25th September 1066): Godwin's third son and Harold's brother. Earl of Northumbria (1055-1065), he was chased out of his county following a revolt. Exiled by Edward the Confessor, after having found refuge with his father-in-law Baldwin V of Flanders, he challenged Harold, now king, by successfully landing on the Isle of Wight, from *where he led raids throughout England (Sandwich, then round Norfolk and Lincoln). Defeated, he fled to Scotland before returning to Norway. He joined forces with Harald Hardrada to fight in Northumbria and Yorkshire before being killed at the Battle of Stamford Bridge.*

Turold: *Norman first name, sufficiently commonplace to prevent the eponymous character from being identified. He must have been from Duke William's close circle, or from that of his half-brother Odo. Should the latter be true, the name indeed applies to one of Odo's vassals in the County of Kent and to an abbot from Peterborough.*

Vital: *vassal from the Abbey of Fécamp who, after the Conquest, became a land owner.*

Wace (circa 1110-after 1174): *cleric and chronicler. His Roman de Rou, began circa 1160 to be interrupted circa 1174, tells the story of the first Dukes of Normandy. Wace faithfully followed his Latin sources, yet he also had access to oral tradition to relate the Conquest of England.*

Wadard: *Norman from Odo of Conteville's circle, mentioned in several texts as having received houses and land in England.*

William of Poitiers (circa 1020-1090): *Duke William's chaplain and chronicler. He was the author of Gesta Willelmi ducis Normannorum et regis Anglorum covering the period from 1035 to 1067 and written circa 1073-1074. It offers a detailed description of the preparations for the conquest and for the Battle of Hastings.*

William Duke of Normandy, known as William the Bastard and William the Conqueror, King of England (circa 1027-1087): *natural son of Robert the Magnificent, Duke of Normandy and of Herleva, also known as Arlette, a girl from Falaise. This illegitimate birth earned him the nickname of William the Bastard. He became duke upon the death of his father in 1035. His youth was marked by a troublesome period which came to an end at the Battle of Val-ès-Dunes in 1047. Circa 1050, he married Matilda of Flanders, the daughter of Count Baldwin V and niece of King Henry I of France. He was then to challenge his ambitious neighbours. Concerned about the increased power enjoyed by his Norman vassal, the King of France offered them his support, yet suffered defeat at both Mortemer in 1054 and Varaville in 1057. Circa 1051, William is believed to have travelled to England and King Edward, his second cousin, is said to have proposed that he succeed him to the throne after his death. Harold Godwinson took the English throne in January 1066, which resulted in preparations for a Norman landing operation in England, to the Battle of Hastings, a military expedition to London and to William's coronation as King of England on the 25th of December 1066, under the name of William I. Henceforth, William's name went down in posterity as the "Conqueror". He very probably refuted any such title, since he considered England to be his rightful inheritance. He was to face several Anglo-Saxon rebellions until 1075; however, he consolidated his power by relying on his Norman seigneurs and clergy, who replaced previous land owners and took over ecclesiastical responsibilities. He governed over Normandy and England separately.*

Index géographique

Geographical index

Battle : lieu où s'est réellement déroulée la bataille de Hastings. Le site se trouve à quelques kilomètres au nord de Hastings, dans l'East Sussex, à proximité de la côte sud-est de l'Angleterre.

Bayeux : ville située en Basse-Normandie, au nord-ouest du département du Calvados, sur l'Aure. Au XIe siècle, elle était entourée d'une enceinte : la cathédrale en occupait l'angle sud-est et le château médiéval, qui a aujourd'hui disparu, l'angle sud-ouest.

Beaurain : le château de Beaurain est situé sur la commune actuelle de Beaurainville, en Picardie, dans le département du Pas-de-Calais, à égale distance (12 km) de Montreuil à l'ouest, de Hesdin à l'est, et à 50 km au nord d'Abbeville.

Bonneville-sur-Touques : village situé dans l'arrière-pays de Trouville, en Basse-Normandie, à l'est du département du Calvados, sur le fleuve côtier de la Touques.

Bosham : village portuaire situé à 5 km de la ville de Chichester, dans le comté du West Sussex, sur la côte sud de l'Angleterre.

Canche : petit fleuve côtier du Pas-de-Calais se jetant dans la Manche.

Cantorbéry : cité du comté du Kent, dans le sud-est de l'Angleterre, située sur la Stour et distante d'une petite centaine de kilomètres de Londres.

Couesnon : petit fleuve côtier dont l'embouchure se situe dans la baie du Mont Saint-Michel. Son cours délimite la frontière entre la Bretagne et la Normandie.

Dinan : ville située en Haute-Bretagne, dans le département des Côtes d'Armor. Elle est distante d'une cinquantaine de kilomètres de Rennes.

Dives : petit fleuve côtier de Basse-Normandie se jetant dans la Manche.

Dives-sur-Mer : port situé en Basse-Normandie, au centre est du département du Calvados, au bord de l'estuaire de la Dives.

Dol-de-Bretagne : ville de Haute-Bretagne, dans le département d'Ille-et-Vilaine, à mi-distance entre le Mont Saint-Michel et Saint-Malo. Elle est située à 30 kilomètres à l'est de Dinan. Rennes se trouve à une cinquantaine de kilomètres au sud.

Eu : ville située en Haute-Normandie, tout au nord du département de la Seine-Maritime. Elle est pratiquement à la frontière entre la Normandie et la Picardie.

Hastings : ville située dans le comté de l'East Sussex, sur la côte sud de l'Angleterre.

Leominster : ville située au cœur du Hereford, aux marches du Pays de Galles, possédant au Moyen Âge un monastère de moniales bénédictines.

Londres : ville située sur la Tamise, au sud-est de l'Angleterre. Ruinée par les invasions saxonnes puis vikings, elle est devenue capitale grâce à l'action des rois normands.

Mont Saint-Michel : îlot situé en Basse-Normandie, dans le département de la Manche, à l'embouchure du fleuve Couesnon, au centre d'une vaste baie.

Pevensey : village anciennement portuaire situé dans le comté de l'East Sussex, sur la côte sud de l'Angleterre.

Ponthieu : ancien comté faisant partie de la Picardie et voisin de la Normandie à l'ouest.

Rennes : capitale de la Haute-Bretagne.

Rouen : capitale de la Haute-Normandie établie sur la Seine.

Saint-Valéry-sur-Somme : port situé en Picardie, dans le département de la Somme, sur l'estuaire du fleuve Somme.

Senlac : une des collines où s'est déroulée la bataille de Hastings.

Somme : fleuve traversant la Picardie et se jetant dans la Manche en formant la baie de Somme.

Southwark : faubourg de Londres, situé sur la rive sud de la Tamise.

Stamford Bridge : village du comté du Yorkshire, dans le nord-est de l'Angleterre, situé à une dizaine de kilomètres à l'est d'York.

Telham : une des collines où s'est déroulée la bataille de Hastings.

Wallingford : petite ville faisant actuellement partie du comté de l'Oxfordshire, située au nord-ouest de Londres et à une vingtaine de kilomètres au sud d'Oxford, à proximité de la Tamise.

Waltham Abbey : située dans le comté de l'Essex, dans l'est de l'Angleterre, à une vingtaine de kilomètres au nord de Londres.

Westminster : faubourg de Londres devant son nom à la célèbre abbaye.

Wilton : ville située dans le Wiltshire, près de Salisbury, dans le sud-ouest de l'Angleterre, possédant au Moyen Âge un monastère de moniales bénédictines.

Winchester : cité du comté du Hampshire, située au sud de l'Angleterre. Elle a été la capitale du royaume du Wessex puis du royaume de l'Angleterre du IXe au XIe siècle.

Battle: *site where the Battle of Hastings actually took place. The site is located a few miles to the north of Hastings, in East Sussex, on the south-east coast of England.*

Bayeux: *town located in Lower Normandy, to the north-west of the département of Calvados, on the River Aure. In the 11th century, it was surrounded by an enclosure: the cathedral occupied the south-east angle and the medieval castle, since disappeared, occupied the south-west angle.*

Beaurain: *the Château de Beaurain is located in the present-day town of Beaurainville in Picardy, in the Pas-de-Calais département, at equal distance (12km) from Montreuil to the west and Hesdin to the east, and 50km to the north of Abbeville.*

Bonneville-sur-Touques: *village located inland from Trouville, in Lower Normandy, to the east of the Calvados département, on the coastal River Touques.*

Bosham: *harbour village located 5km from Chichester, in the county of West Sussex, on the south coast of England.*

Canche: *small coastal river in the Pas-de-Calais that flows into the English Channel.*

Canterbury: *city in the county of Kent, in south-east England, located on the River Stour and around 100km from London.*

Couesnon: *small coastal river, the mouth of which is located in Mont Saint-Michel bay. Its bed marks the border between Brittany and Normandy.*

Dinan: *town located in Upper Brittany, in the Côtes d'Armor département. It is located 50km from Rennes.*

Dives: *small coastal river in Lower Normandy that flows into the English Channel.*

Dives-sur-Mer: *port located in Lower Normandy, east of the centre of the Calvados département, on the banks of the Dives estuary.*

Dol-de-Bretagne: *town in Upper Brittany, in the Ille-et-Vilaine département, located midway between the Mont Saint-Michel and Saint-Malo. It is 30km to the east of Dinan. Rennes is located 50km to the south.*

Eu: *town located in Upper Normandy, in the extreme north of the Seine-Maritime département. It is practically on the border between Normandy and Picardy.*

Hastings: *town located in the county of East Sussex, on the south coast of England.*

Leominster: *town located in the heart of Hereford, near the Welsh border; in the Middle Ages, it was home to a monastery of Benedictine cloistered nuns.*

London: *city located on the River Thames, in the south-east of England. Reduced to ruins by the Saxon then the Viking invasions, it became the capital city thanks to action by the Norman kings.*

Mont Saint-Michel: *islet located in Lower Normandy, in the Manche département, within a vast bay on the mouth of the River Couesnon.*

Pevensey: *former harbour village located in the county of East Sussex, on the south coast of England.*

Ponthieu: *former county that was part of Picardy, the west of which neighboured Normandy.*

Rennes: *capital of Upper Brittany.*

Rouen: *capital of Upper Normandy, established on the River Seine.*

Saint-Valéry-sur-Somme: *port located in Picardy, in the Somme département, on the estuary of the River Somme.*

Senlac: *one of the hills upon which the Battle of Hastings took place.*

Somme: *river that runs through Picardy and flows into the English Channel, forming the Bay of Somme.*

Southwark: *inner London suburb, located on the south bank of the River Thames.*

Stamford Bridge: *village in the county of Yorkshire, in north-east England, located 10km to the east of York.*

Telham: *one of the hills upon which the Battle of Hastings took place.*

Wallingford: *small town, currently part of the county of Oxfordshire, located to the north-west of London and 20km to the south of Oxford, near the River Thames.*

Waltham Abbey: *located in the county of Essex, in the east of England, 20km to the north of London.*

Westminster: *inner London suburb that owes its name to the famous abbey.*

Wilton: *town located in Wiltshire, near Salisbury, in the south-east of England, which, in the Middle Ages, housed a monastery of Benedictine cloistered nuns.*

Winchester: *city in the county of Hampshire, in the south of England. It was the capital of the Kingdom of Wessex, then of the Kingdom of England from the 9th to the 11th century.*

Bibliographie succinte
SHORT BIBLIOGRAPHY

SOURCES

The Anglo-Saxon Chronicles. Translated and edited by Michael Swanton. London : Phoenix, 2000.

Baudri de Bourgueil. *Poème adressé à Adèle, fille de Guillaume le Conquérant*, par Baudri, abbé de Bourgueil, publié par M. Léopold Delisle. Caen : impr. Le Blanc-Hardel, 1871.

Benoît de Sainte-Maure. *Chronique des ducs de Normandie*. Publié par Carin Fahlin. Uppsala : Almqvist & Wiksells, 1967.

The "Gesta Normannorum Ducum" of William of Jumièges, Orderic Vitalis and Robert of Torigny. Edited and translated by E. N. C. van Houts, 2 vol. Oxford : Clarendon press, 1992-1995.

Gui d'Amiens. *The Carmen de Hastingae Proelio of Guy, Bishop of Amiens*. Edited by Catherine Morton and Hope Muntz. Oxford : Clarendon press, 1972.

Guillaume de Malmesbury. *Gesta regum Anglorum : The History of the English Kings*. Edited by R.A.B. Mynors and M. Winterbottom, 2 vol. Oxford : Clarendon press, 2003-2006.

Guillaume de Poitiers. *Histoire de Guillaume le Conquérant*. Édité et traduit par Raymonde Foreville. Paris : Les Belles-Lettres, 1952.

Orderic Vital. *The Ecclesiastical history of Orderic Vital*. Edited and translated by Marjorie Chibnall, 6 vol. Oxford : Clarendon press, 1969-1980.

Wace, Robert. *Le Roman de Rou*. Édité par A. J. Holden, 3 vol. Paris : A. et J. Picard, 1970-1973.

OUVRAGES GENERAUX / *GENERAL REFERENCE WORKS*

Bertrand, Simone. *La Tapisserie de Bayeux et la manière de vivre au onzième siècle*. La Pierre-Qui-Vire : Zodiaque, 1966.

Bouet, Pierre et Neveux, François. *La Tapisserie de Bayeux : révélations et mystères d'une broderie du Moyen Age*. Rennes : Ouest-France, 2013.

Brown, Shirley Ann. *The Bayeux Tapestry : Bayeux, médiathèque municipale : ms. 1 : a sourcebook*. Turnhout: Brepols, 2013.

Lewis, Michael J. *The Real World of the Bayeux Tapestry*. Stroud : The History Press, 2009.

Musset, Lucien. *La Tapisserie de Bayeux*. Paris : Zodiaque, 2002.

TABLE DES MATIÈRES
TABLE OF CONTENTS

OREP Éditions, Zone tertiaire de Nonant, 14400 BAYEUX - **Tél.** : 02 31 51 81 31 - **Fax** : 02 31 51 81 32 - **E-mail** : info@orepeditions.com - **Web** : www.orepeditions.com
Éditeur / *Editor* : Grégory PIQUE - **Conception graphique, mise en pages / *Design graphics, layout*** : OREP - **Coordination éditoriale / *Editorial coordination*** : Cécile VIVANT
Traduction anglaise / *English translation* : Heather INGLIS
Les extraits de la Tapisserie de Bayeux sont reproduits avec l'autorisation spéciale de la ville de Bayeux. *Extracts from the Bayeux Tapestry are reproduced courtesy of the Town of Bayeux.*

ISBN : 978-2-8151-0246-9 - © OREP Éditions 2022 - Tous droits réservés - **Dépôt légal** : 1ᵉ trimestre 2015 - *All rights reserved* – ***Legal deposit:*** *1st quarter 2015*